국민대학교 국제교육원
Institute of International Education
Kookmin University

국민 한국어 5-1

STUDENT'S BOOK

MP3, 별책 부록 포함

국민대학교 국제교육원
https://iie.kookmin.ac.kr/ko/main

국민한국어 5-1

초판 1쇄 2025년 5월 15일
편 집 인 국민대학교 국제교육원
집 필 진 이효정, 윤보은, 임주영, 김영랑
감 수 이동은, 이화진

발 행 인 정승렬
발 행 처 국민대학교 출판부
등 록 1975년 6월 17일 제6-33호
주 소 서울특별시 성북구 정릉로 77
전 화 02.910.4242
팩 스 02.910.4240

인쇄·편집 동방인쇄공사
전 화 02.468.0301
표지 디자인 더그래픽노블스
삽 화 이상경
녹 음 쿠키앤사운드

국민대학교 국제교육원

ISBN 978-89-7812-548-2 (14700)
978-89-7812-547-5 (세트)

값 25,000원 (세트 47,000원: 5-1, 5-2, 별책 부록 포함)

- mp3 음원은 국민대학교 한국어교육센터〉mp3(https://iie.kookmin.ac.kr/ko/main)에서 내려받을 수 있습니다.
- 책이 나올 때까지 지지와 지원을 아끼지 않은 이동은 국제교육원장님과 행정 지원을 해 주신 교학팀 선생님들께 진심으로 감사드립니다.
- '하이브리드 고급한국어' 교재의 집필진 선생님들께 깊은 감사를 드립니다. '국민한국어 5' 교재의 주제와 내용 선정에 큰 도움이 되었습니다.

머리말

2025년 현재, 한국어는 세계의 언어들 중에 20위권에 자리하는 주요 언어로서 한국 문화의 확산과 함께 그 영향력은 더욱 커지고 있습니다. 한국어 학습 열풍이 지속적으로 확산됨에 따라 한국어의 위상은 앞으로도 더욱 높아질 것으로 기대합니다.

국민대학교는 2002년 3월부터 외국인을 위한 한국어 교육을 시작하였으며, 2025년 4월 기준으로 세계 50여 개국 언어 문화권의 학습자들이 이곳에서 한국어 능력을 키우고 있습니다. 이렇게 날로 증가하는 외국인 학습자들의 다변화된 요구를 반영하기 위해 2012년부터 **국민한국어** 교재 개발을 시작하였으며, **국민한국어 4**를 출간한 지 5년 만에 고급 교재인 **국민한국어 5**를 펴내게 되었습니다. **국민한국어 5**에서는 그간 국민대학교 한국어교육센터가 축적해 온 교육 내용, 교수법 및 교육 자료의 연구와 개발 성과가 새롭고 합리적인 방식으로 담겨 있습니다.

이 교재는 다음과 같은 특성을 지닙니다. 첫째, 한국어 고급 교재는 한국에 대한 학습자의 심층적 이해를 돕기 위해 한국어뿐 아니라 한국 문화, 역사, 사회적 이슈까지 포함하여야 합니다. 따라서 본 교재에서는 신문 기사, 보고서, 문학 작품, 다큐멘터리, 학술 강의 등 다양한 장르의 텍스트를 포함하였으며, 이를 주제 및 어휘, 문법, 활동과 유기적으로 연결하도록 구성하였습니다. 이를 통해 학습자가 한국 사회와 문화를 보다 심층적으로 이해할 수 있도록 하였습니다.

둘째, 학습자가 읽기와 듣기 자료를 통해 수집한 정보를 자연스럽게 말하기와 쓰기로 표현할 수 있도록 교재를 구성하여 네 가지 언어 영역이 균형 있게 향상될 수 있도록 하였습니다. 또한 문법과 어휘, 표현을 사회적 영역에서 구현할 수 있도록 내용을 구성하였습니다.

셋째, 실제 수업을 하는 방법과 순서에 따라 단원을 구성함으로써 교수자와 학습자가 쉽게 교수·학습할 수 있도록 학습의 편의성을 도모하였습니다.

국민한국어 5를 출간하면서 감사해야 할 분들이 참으로 많습니다. 우선 이 교재가 탄생하는 데 영감을 준 학습자들에게 깊은 감사를 전합니다. 또한, 연구와 개발에 헌신적으로 열정을 쏟아 주신 교재 연구 개발팀 선생님들께도 감사드립니다. 교재 출간을 위해 물심양면으로 지원해 주신 국민대학교 출판부와 한국어교육센터 행정팀, 편집을 맡아 주신 동방인쇄공사 편집팀, 삽화를 맡아 주신 이상경 작가님과 자문과 교정·교열을 해 주신 이화진 교수님과 박근영 교수님, 신선, 김지혜 선생님께도 감사의 마음을 전합니다. 또한 표지 디자인과 mp3 음원 제작에 도움을 주신 더그래픽노블스, 쿠키앤사운드 관계자 여러분들께도 감사드립니다. 마지막으로, 깊은 관심으로 아낌없는 지원을 해 주신 국민대학교 정승렬 총장님께도 진심으로 감사드립니다.

앞으로 **국민한국어 5**를 통해 더 많은 학습자들이 한국어 능력을 향상시키고, 한국어 교육자들에게도 유용한 자료가 되어 더욱 효과적이고 재미있게 한국어를 가르칠 수 있기를 바랍니다. 아울러 이 교재가 한국어 교육 발전에 의미 있는 기여를 하기를 기원합니다.

2025년 5월

국민대학교 국제교육원장 이동은

교재 구성과 사용법

국민한국어 5는 한국어를 800시간 정도 배운 학습자를 위한 고급용 교재로, 사회적이고 추상적인 주제 및 업무나 학업과 관련된 영역에 대한 의사소통 능력을 향상하는 데 그 목적이 있다. 이 교재는 학습자들이 공식적인 맥락에서 격식을 갖추어 의사소통할 수 있는 능력을 기를 수 있도록 구성되었다. 또한 한국 문화의 다양한 측면을 이해하고 이를 자국 문화와 비교함으로써 문화의 다양성과 특수성을 이해할 수 있도록 돕는다.

본 교재의 단원 구성 및 특징은 다음과 같다.

- 본 교재는 한 학기 200시간으로 구성된 교육과정에서 활용할 수 있도록 개발되었다. 총 14개 단원으로 이루어져 있으며, 각 단원은 2개의 과로 나누어져 있어 학습자가 한 가지 주제를 깊이 있게 학습할 수 있도록 설계되었다. 각 단원의 마지막에는 말하기와 쓰기를 중심으로 한 '활동' 영역을 두어 실제적이며 종합적인 언어 능력이 향상될 수 있도록 하였다.
- 한 단원을 학습하는 데 약 10시간이 소요되며, 다음과 같이 수업을 운영할 수 있다.

	1-1	1-2	활동
1교시	주제 도입, 어휘·표현 1	어휘·표현 2	의사소통 활동
2교시	듣기 1	읽기 2	
3교시	읽기 1	듣기 2	
4교시	문법 1, 2	문법 3, 4	
	4시간	4시간	2시간
	10시간		

- 고급 단계에서 다루어져야 할 읽기와 듣기 텍스트를 분석하여 신문 기사, 보고서, 문학 작품, 다큐멘터리, 학술 강의 등 다양한 유형의 텍스트를 고르게 접할 수 있도록 구성하였다.
- 난이도와 사용 빈도를 고려하여 5급 학습자에게 적절한 수준의 주제와 어휘·표현, 문법을 선정하였다.
- 표현 영역과 이해 영역의 특징에 맞는 다양한 연습과 활동을 제공하여 듣기, 말하기, 읽기, 쓰기 능력을 통합적으로 키울 수 있도록 하였다.
- 실제 교실 수업의 진행 절차와 순서를 반영하여 자연스러운 학습 흐름에 따라 수업이 이루어질 수 있도록 구성하였다.
- 학습자들이 흥미를 가질 수 있도록 사진, 그래프, 삽화 등 다양한 시각적 자료를 제공하였다.

01 단원 구성

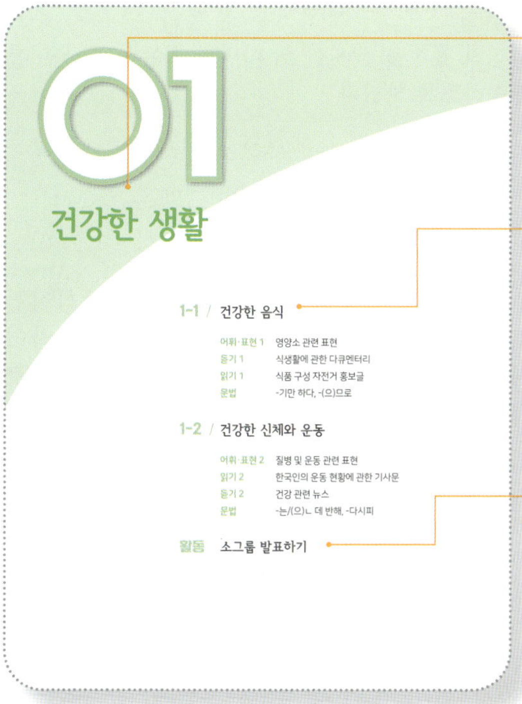
01
건강한 생활

1-1 / 건강한 음식

어휘·표현 1	영양소 관련 표현
듣기 1	식생활에 관한 다큐멘터리
읽기 1	식품 구성 자전거 홍보글
문법	-기만 하다, -(으)므로

1-2 / 건강한 신체와 운동

어휘·표현 2	질병 및 운동 관련 표현
읽기 2	한국인의 운동 현황에 관한 기사문
듣기 2	건강 관련 뉴스
문법	-는/(으)ㄴ 데 반해, -다시피

활동 소그룹 발표하기

단원 주제

해당 단원의 첫 부분에 학습자가 배울 내용을 인지할 수 있도록 주제를 제시하였다.

과 주제와 학습 목표

한 단원은 하나의 주제로 연결된 두 개의 과로 이루어져 있다. 과 제목 아래에 학습하게 될 어휘와 표현, 듣기와 읽기 장르, 문법 항목 등을 정리하여 제시하였다.

활동

한 단원을 마친 뒤 의사소통 활동을 진행하여 종합적인 언어 능력 향상을 도모할 수 있도록 하였다.

02 전체 단원의 준비

1. '건강'을 생각하면 어떤 단어가 떠오릅니까?

예 운동, 식생활, 비만, 다이어트 등

2. 여러분은 건강 관리가 중요하다고 생각합니까? 평소 어떻게 건강을 관리하고 있습니까?

주제 도입

단원 주제와 관련된 사진이나 자료를 제시하여 주제 도입 시 학습자의 배경지식을 활성화하고 관심을 이끌어 낼 수 있도록 구성하였다.

질문

질의응답을 통해 주제에 대한 경험이나 의견을 이야기할 수 있도록 구성하였다.

03 어휘와 표현

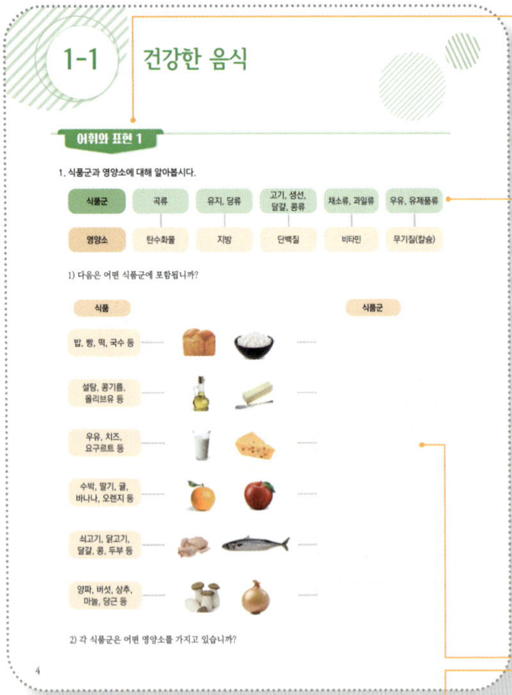
1-1 건강한 음식

어휘와 표현 1

1. 식품군과 영양소에 대해 알아봅시다.

식품군	곡류	유지, 당류	고기, 생선, 달걀, 콩류	채소류, 과일류	우유, 유제품류
영양소	탄수화물	지방	단백질	비타민	무기질(칼슘)

1) 다음은 어떤 식품군에 포함됩니까?

식품	식품군
밥, 빵, 떡, 국수 등	
설탕, 콩기름, 올리브유 등	
우유, 치즈, 요구르트 등	
수박, 딸기, 귤, 바나나, 오렌지 등	
쇠고기, 닭고기, 달걀, 콩, 두부 등	
양파, 버섯, 상추, 마늘, 당근 등	

2) 각 식품군은 어떤 영양소를 가지고 있습니까?

4

- 어휘와 표현 단계에서는 주제와 관련된 주요 어휘와 표현을 제시한 뒤 다양한 활동을 통해 이를 연습하도록 하였다.

제시

제시 단계에서는 단원 주제와 관련된 핵심적인 어휘와 표현을 구조화하여 제시하였다. 학습자의 이해를 돕기 위해 사진이나 도표 등을 적극적으로 활용하였다.

연습

주제와 관련된 어휘의 의미를 이해하고 내재화할 수 있도록 다양한 유형의 연습 활동을 마련하였다.

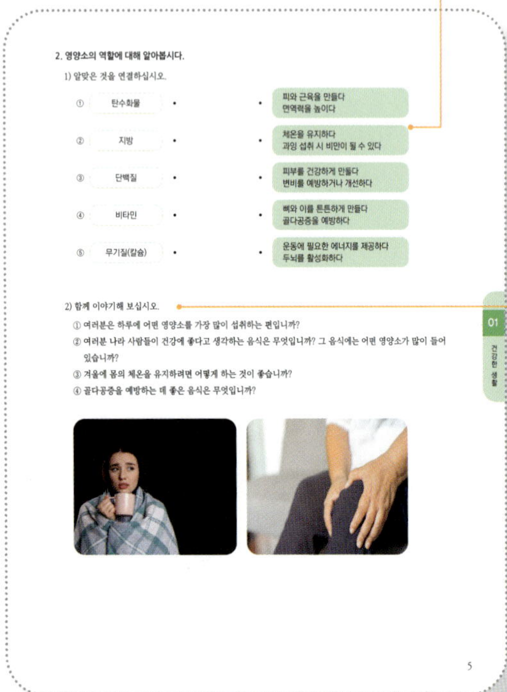
2. 영양소의 역할에 대해 알아봅시다.

1) 알맞은 것을 연결하십시오.

① 탄수화물 • • 피와 근육을 만들다 / 면역력을 높이다

② 지방 • • 체온을 유지하다 / 과잉 섭취 시 비만이 될 수 있다

③ 단백질 • • 피부를 건강하게 만들다 / 변비를 예방하거나 개선하다

④ 비타민 • • 뼈와 이를 튼튼하게 만들다 / 골다공증을 예방하다

⑤ 무기질(칼슘) • • 운동에 필요한 에너지를 제공하다 / 두뇌를 활성화하다

2) 함께 이야기해 보십시오.

① 여러분은 하루에 어떤 영양소를 가장 많이 섭취하는 편입니까?

② 여러분 나라 사람들이 건강에 좋다고 생각하는 음식은 무엇입니까? 그 음식에는 어떤 영양소가 많이 들어 있습니까?

③ 겨울에 몸의 체온을 유지하려면 어떻게 하는 것이 좋습니까?

④ 골다공증을 예방하는 데 좋은 음식은 무엇입니까?

01 건강한 생활

5

활용

학습자가 실제 담화 속에서 자연스럽게 목표 어휘를 활용할 수 있도록 질문을 구성함으로써 유의미한 의사소통이 이루어지도록 하였다.

04
듣기 1, 읽기 2

듣기 1

준비하기

1. 여러분의 식습관은 어떻습니까?

세 끼를 챙겨 먹는다	□	음식을 자주 배달시켜 먹는다	□
밤에 야식을 자주 먹는다	□	직접 요리해서 먹는다	□
과식이나 폭식을 한다	□	정해진 시간에 규칙적으로 먹는다	□

2. 여러분은 멜라토닌 호르몬에 대해 들어본 적이 있습니까?

멜라토닌(melatonin):
잠을 자는 동안 뇌에서 나오는 호르몬.
편안하게 잠을 잘 수 있도록 하고 면역력을 높이는 기능을 한다.

01 건강한 생활

듣기

● 생활 습관에 관한 다큐멘터리를 듣고 질문에 답하십시오. 01-1

1. 무엇에 대해 이야기하고 있습니까?

김미선 씨 ______ 의 문제점

7

한 단원에는 '듣기 1'과 '읽기 2'가 포함되며 상대적으로 짧은 길이로 구성되어 주제를 도입하는 역할을 한다.

듣기/읽기 전

듣기/읽기 전에 학습자의 배경지식을 활성화할 수 있도록 관련 자료와 질문을 제시하였다. 그리고 필요에 따라 듣기/읽기 이해에 도움이 되는 사진이나 삽화도 함께 제시하였다.

듣기/읽기

학습자가 내용의 맥락을 이해할 수 있도록 '다큐멘터리, 발표, 설명문, 도감' 등 다양한 담화 장르를 밝혔다.

듣기/읽기 후

- '주제, 의도 파악하기' 등의 문제를 통해 전반적으로 듣기/읽기 내용을 이해했는지 확인하였다.

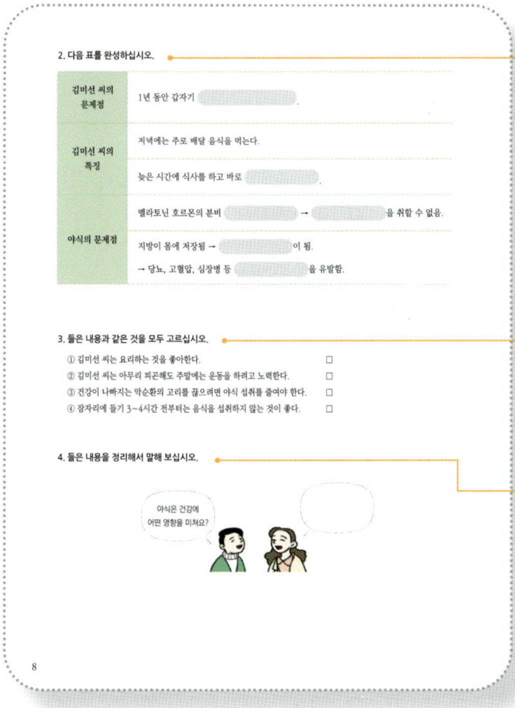

2. 다음 표를 완성하십시오.

김미선 씨의 문제점	1년 동안 갑자기 ______.
김미선 씨의 특징	저녁에는 주로 배달 음식을 먹는다.
	늦은 시간에 식사를 하고 바로 ______.
야식의 문제점	멜라토닌 호르몬의 분비 ______ → ______을 취할 수 없음.
	지방이 몸에 저장됨 → ______이 됨. → 당뇨, 고혈압, 심장병 등 ______을 유발함.

3. 들은 내용과 같은 것을 모두 고르십시오.

① 김미선 씨는 요리하는 것을 좋아한다. □
② 김미선 씨는 아무리 피곤해도 주말에는 운동을 하려고 노력한다. □
③ 건강이 나빠지는 악순환의 고리를 끊으려면 야식 섭취를 줄여야 한다. □
④ 잠자리에 들기 3~4시간 전부터는 음식을 섭취하지 않는 것이 좋다. □

4. 들은 내용을 정리해서 말해 보십시오.

8

- '표 완성하기' 등의 문제를 통해 핵심적인 정보를 정확하게 파악했는지 확인하였다.
- '들은/읽은 내용과 일치하는 것 고르기' 등의 문제를 통해 세부 내용을 정확하게 이해했는지 확인하였다.
- 들은/읽은 내용을 요약하고 다른 사람에게 자연스럽게 전달하는 활동을 제시함으로써, 논리적이고 격식 있는 표현 능력을 향상할 수 있도록 하였다.

05
읽기 1, 듣기 2

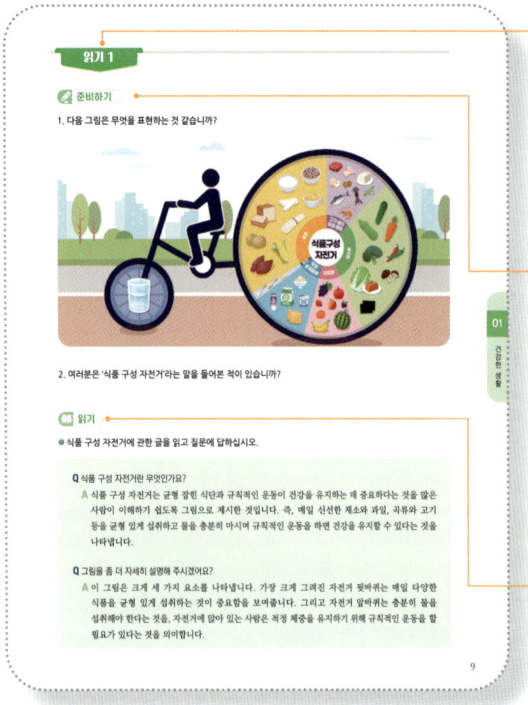

읽기 1

준비하기

1. 다음 그림은 무엇을 표현하는 것 같습니까?

2. 여러분은 '식품 구성 자전거'라는 말을 들어본 적이 있습니까?

읽기

● 식품 구성 자전거에 관한 글을 읽고 질문에 답하십시오.

Q 식품 구성 자전거란 무엇인가요?

A 식품 구성 자전거는 균형 잡힌 식단과 규칙적인 운동이 건강을 유지하는 데 중요하다는 것을 많은 사람이 이해하기 쉽도록 그림으로 제시한 것입니다. 즉, 매일 신선한 채소와 과일, 곡류와 고기 등을 균형 있게 섭취하고 물을 충분히 마시며 규칙적인 운동을 하면 건강을 유지할 수 있다는 것을 나타냅니다.

Q 그림을 좀 더 자세히 설명해 주시겠어요?

A 이 그림은 크게 세 가지 요소를 나타냅니다. 가장 크게 그려진 자전거 뒷바퀴는 매일 다양한 식품을 균형 있게 섭취하는 것이 중요함을 보여줍니다. 그리고 자전거 앞바퀴는 충분히 물을 섭취해야 한다는 것을, 자전거에 앉아 있는 사람은 적정 체중을 유지하기 위해 규칙적인 운동을 할 필요가 있다는 것을 의미합니다.

9

● '읽기 1'과 '듣기 2'는 상대적으로 긴 길이로 구성되어 단원의 주제와 내용을 심화하는 역할을 한다.

읽기/듣기 전

읽기/듣기 전 단계에서는 학습자의 배경지식을 활성화할 수 있도록 관련 자료와 질문을 제시하였다. 그리고 필요에 따라 읽기/듣기 이해에 도움이 되는 사진이나 삽화도 함께 제시하였다.

읽기/듣기

학습자가 자료의 맥락을 이해할 수 있도록 '안내문, 설명문, 강의, 집담회' 등 다양한 담화 장르를 밝혔다.

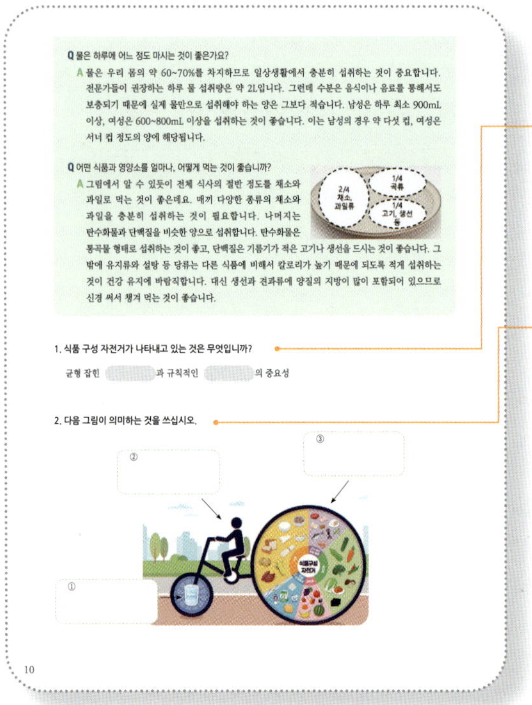

Q 물은 하루에 어느 정도 마시는 것이 좋은가요?

A 물은 우리 몸의 약 60~70%를 차지하므로 일상생활에서 충분히 섭취하는 것이 중요합니다. 전문가들이 권장하는 하루 물 섭취량은 약 2L입니다. 그런데 수분은 음식이나 음료를 통해서도 보충되기 때문에 실제 물만으로 섭취해야 하는 양은 그보다 적습니다. 남성은 하루 최소 900mL 이상, 여성은 600~800mL 이상을 섭취하는 것이 좋습니다. 이는 남성의 경우 약 다섯 컵, 여성은 서너 컵 정도의 양에 해당됩니다.

Q 어떤 식품과 영양소를 얼마나, 어떻게 먹는 것이 좋습니까?

A 그림에서 알 수 있듯이 전체 식사의 절반 정도를 채소와 과일로 먹는 것이 좋은데요. 매끼 다양한 종류의 채소와 과일을 충분히 섭취하는 것이 필요합니다. 나머지는 탄수화물과 단백질을 비슷한 양으로 섭취합니다. 탄수화물은 통곡물 형태로 섭취하는 것이 좋고, 단백질은 기름기가 적은 고기나 생선을 드시는 것이 좋습니다. 그 밖에 유지류와 설탕 등 당류는 다른 식품에 비해서 칼로리가 높기 때문에 되도록 적게 섭취하는 것이 건강 유지에 바람직합니다. 대신 생선과 견과류에 양질의 지방이 많이 포함되어 있으므로 신경 써서 챙겨 먹는 것이 좋습니다.

2/4 채소, 과일류 / 1/4 곡류 / 1/4 고기, 생선 등

1. 식품 구성 자전거가 나타내고 있는 것은 무엇입니까?

균형 잡힌 (　　) 과 규칙적인 (　　) 의 중요성

2. 다음 그림이 의미하는 것을 쓰십시오.

① ② ③

10

읽기/듣기 후

• 이 글의 주제/목적은 무엇입니까?

'주제, 의도 파악하기' 등의 문제를 통해 읽기/듣기 내용을 이해했는지 확인하였다.

• 다음 그림이 의미하는 것을 쓰십시오.

그림이나 표 등 다양한 방식을 활용하여 핵심적인 정보를 정확하게 파악했는지 확인하였다.

3. 묻고 대답하십시오.

1) 물은 하루에 어느 정도 마시는 것이 좋습니까?
2) 매끼 어떤 식품을 가장 많이 먹는 것이 좋습니까?
3) 어떤 식품을 통해 단백질을 섭취하는 것이 좋습니까?
4) 좋은 지방이 많이 들어 있는 음식은 무엇입니까?

4. 다음 표현을 이용하여 읽은 내용을 정리해서 말해 보십시오.

식품 구성 자전거	식단	운동	물
섭취해야 하는 식품의 양과 종류	채소와 과일	통곡물	고기와 생선

5. 함께 이야기해 보십시오.

1) 여러분이 자주 먹는 음식은 무엇입니까? 그 음식의 대표 영양소는 무엇입니까?

구 분	음 식	대표 영양소
아 침		
점 심		
저 녁		
간 식		

2) 여러분이 적정량보다 많이/적게 섭취하는 영양소는 무엇입니까?

적정량보다 많이 섭취하는 영양소	줄여야 할 음식	적정량보다 적게 섭취하는 영양소	보충해야 할 음식

3) 본인의 식습관을 평가하고 올바른 식습관을 위한 다짐을 쓰십시오.

① 다양한 식품군을 골고루 섭취하며 규칙적으로 식사합니다. ☆☆☆☆☆
② 짜거나 단 음식, 기름진 음식을 적게 먹습니다. ☆☆☆☆☆
③ 매일 충분한 물을 마십니다. ☆☆☆☆☆
④ 매일 1시간 이상 신체 활동을 해서 적당한 체중을 유지합니다. ☆☆☆☆☆
⑤ 적당한 시간에 잠자리에 들어 7~8시간 충분히 수면을 취합니다. ☆☆☆☆☆

나의 다짐:

01 건강한 생활

11

• 묻고 대답하십시오.

'묻고 대답하기' 등의 문제를 통해 세부 내용을 정확하게 이해했는지 확인하였다.

• 다음 표현을 이용하여 읽은/들은 내용을 정리해서 말해 보십시오.

핵심적인 어휘와 표현을 사용하여 읽은/들은 내용을 정리한 뒤 다른 사람에게 체계적이고 논리적으로 전달할 수 있게끔 구성하였다.

• 함께 이야기해 보십시오.

읽은/들은 내용과 관련된 주제에 대해 다른 학습자와 소통할 수 있도록 하였다.

전달력 향상하기

● 발음에 주의하면서 읽어 보십시오.

1) 운동을 하지 않으면 젊은 사람에게도 점차 활동이 어려워지는 운동 기능 저하 증후군이 나타날 수 있다고 합니다.
2) 운동 기능 저하 증후군이란 뼈·척추·관절·근육 같은 기관이 약해지면서 기본적인 움직임에도 어려움이 생기는 질환을 말합니다.
3) 두 번째는 양발을 어깨너비로 벌린 다음에 천천히 앉는 스쿼트를 세 세트 하는 겁니다.

전달력 향상하기

듣기 2 마지막 부분에 주요 발음, 억양, 끊어 읽기 등을 연습할 수 있는 단계를 제시함으로써, 고급 학습자들이 반복적으로 실수하기 쉬운 부분을 중점적으로 연습할 수 있도록 하였다.

06
문법

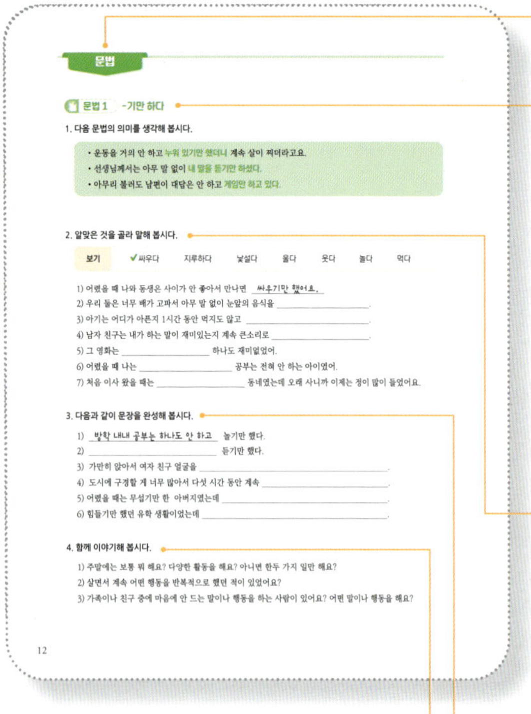
문법

문법 1 -기만 하다

1. 다음 문법의 의미를 생각해 봅시다.

- 운동을 거의 안 하고 누워 있기만 했더니 계속 살이 찌더라고요.
- 선생님께서는 아무 말 없이 내 말을 듣기만 하셨다.
- 아무리 불러도 남편이 대답은 안 하고 게임만 하고 있다.

2. 알맞은 것을 골라 말해 봅시다.

보기 ✔싸우다 지루하다 낯설다 울다 웃다 놀다 먹다

1) 어렸을 때 나와 동생은 사이가 안 좋아서 만나면 싸우기만 했어요.
2) 우리 둘은 너무 배가 고파서 아무 말 없이 눈앞의 음식을 ______________.
3) 아기는 어디가 아픈지 1시간 동안 먹지도 않고 ______________.
4) 남자 친구는 내가 하는 말이 재미있는지 계속 큰소리로 ______________.
5) 그 영화는 ______________ 하나도 재미없었어.
6) 어렸을 때 나는 ______________ 공부는 전혀 안 하는 아이였어.
7) 처음 이사 왔을 때는 ______________ 동네였는데 오래 사니까 이제는 정이 많이 들었어요.

3. 다음과 같이 문장을 완성해 봅시다.

1) 방학 내내 공부는 하나도 안 하고 놀기만 했다.
2) ______________ 듣기만 했다.
3) 가만히 앉아서 여자 친구 얼굴을 ______________.
4) 도시에 구경할 게 너무 많아서 다섯 시간 동안 계속 ______________.
5) 어렸을 때는 무섭기만 한 아버지였는데 ______________.
6) 힘들기만 했던 유학 생활이었는데 ______________.

4. 함께 이야기해 봅시다.

1) 주말에는 보통 뭐 해요? 다양한 활동을 해요? 아니면 한두 가지 일만 해요?
2) 살면서 계속 어떤 행동을 반복적으로 했던 적이 있었어요?
3) 가족이나 친구 중에 마음에 안 드는 말이나 행동을 하는 사람이 있어요? 어떤 말이나 행동을 해요?

12

듣기와 읽기 텍스트에서 등장한 문법 중에서 고급 학습자에게 유용한 문법 4개를 선정하여 제시하였다.

제시

듣기와 읽기 텍스트에 등장한 문장을 제시함으로써 맥락에 따른 문법의 의미를 자연스럽게 이해할 수 있도록 하였다.

연습 1

- 목표 문법을 이용하여 간단하게 대답할 수 있는 통제된 연습을 제공하였다.
- 매체에 따른 사용역을 고려하여 구어 문법과 문어 문법에 적절한 연습 활동을 제공하였다.

연습 2

목표 문법의 의미와 기능에 초점을 맞추어 선행절-후행절을 완성하는 연습을 함으로써 자연스러운 문장을 구성할 수 있는 능력을 키우도록 하였다.

활용

목표 문법을 적절히 활용하여 담화를 확장할 수 있도록 하였다. 목표 문법을 실제 담화 속에서 자연스럽게 활용함으로써 유의미한 의사소통이 이루어지도록 구성하였다.

07 활동

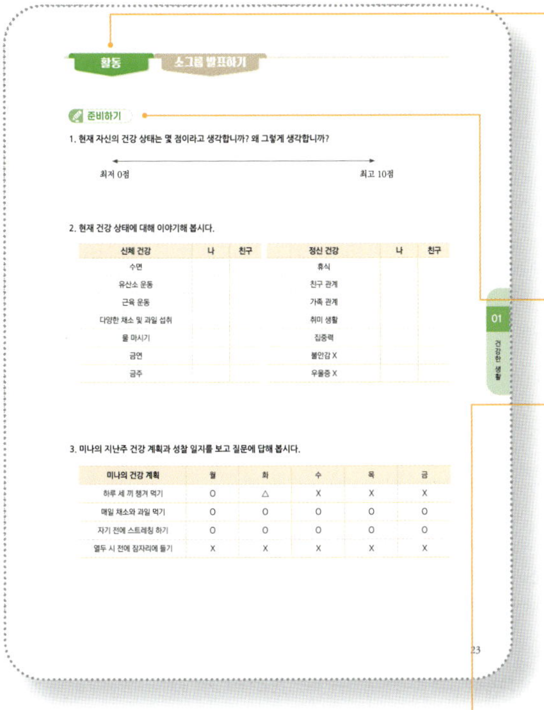

활동 | 소그룹 발표하기

준비하기

1. 현재 자신의 건강 상태는 몇 점이라고 생각합니까? 왜 그렇게 생각합니까?

최저 0점 ↔ 최고 10점

2. 현재 건강 상태에 대해 이야기해 봅시다.

신체 건강	나	친구	정신 건강	나	친구
수면			휴식		
유산소 운동			친구 관계		
근육 운동			가족 관계		
다양한 채소 및 과일 섭취			취미 생활		
물 마시기			집중력		
금연			불안감 X		
금주			우울증 X		

3. 미나의 지난주 건강 계획과 성찰 일지를 보고 질문에 답해 봅시다.

미나의 건강 계획	월	화	수	목	금
하루 세 끼 챙겨 먹기	O	△	X	X	X
매일 채소와 과일 먹기	O	O	O	O	O
자기 전에 스트레칭 하기	O	O	O	O	O
열두 시 전에 잠자리에 들기	X	X	X	X	X

01 건강한 생활

23

해당 단원에서 다룬 주제 및 기능과 연관된 다양한 과제 활동을 제시하여 학습자가 종합적으로 의사소통 능력을 키울 수 있도록 구성하였다.

준비하기

- 활동 수행에 앞서 학습자의 배경지식을 활성화하고 필요한 자료를 조사하는 단계로 구성하였다.
- 활동에 필요한 담화를 체계적으로 구성할 수 있도록 필요한 어휘와 표현을 구조화하여 제시하였다.

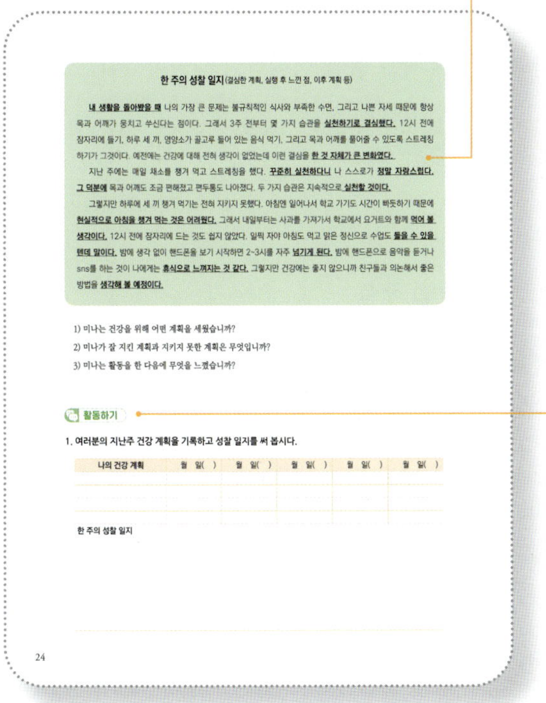

한 주의 성찰 일지(결심한 계획, 실행 후 느낀 점, 이후 계획 등)

내 생활을 돌아봤을 때 나의 가장 큰 문제는 불규칙적인 식사와 부족한 수면, 그리고 나쁜 자세 때문에 항상 목과 어깨가 뭉치고 쑤신다는 점이다. 그래서 3주 전부터 몇 가지 습관을 **실천하기로 결심했다.** 12시 전에 잠자리에 들기, 하루 세 끼, 영양소가 골고루 들어 있는 음식 먹기, 그리고 목과 어깨를 풀어줄 수 있도록 스트레칭 하기가 그것이다. 예전에는 건강에 대해 전혀 생각이 없었는데 이런 결심을 **한 것 자체가 큰 변화였다.**

지난 주에는 매일 채소를 챙겨 먹고 스트레칭을 했다. **꾸준히 실천하다니** 나 스스로가 **정말 자랑스럽다. 그 덕분에** 목과 어깨도 조금 편해졌고 편두통도 나아졌다. 두 가지 습관은 지속적으로 **실천할 것이다.**

그렇지만 하루에 세 끼 챙겨 먹기는 전혀 지키지 못했다. 아침엔 일어나서 학교 가기도 시간이 빠듯하기 때문에 **현실적으로 아침을 챙겨 먹는 것은 어려웠다.** 그래서 내일부터는 사과를 가져가서 학교에서 요거트와 함께 **먹어 볼 생각이다.** 12시 전에 잠자리에 드는 것도 쉽지 않았다. 일찍 자야 아침도 먹고 맑은 정신으로 수업도 **들을 수 있을 텐데 말이다.** 밤에 생각 없이 핸드폰을 보기 시작하면 2~3시를 자주 **넘기게 된다.** 밤에 핸드폰으로 음악을 듣거나 sns를 하는 것이 나에게는 **휴식으로 느껴지는 것 같다.** 그렇지만 건강에는 좋지 않으니까 친구들과 의논해서 좋은 방법을 **생각해 볼 예정이다.**

1) 미나는 건강을 위해 어떤 계획을 세웠습니까?
2) 미나가 잘 지킨 계획과 지키지 못한 계획은 무엇입니까?
3) 미나는 활동을 한 다음에 무엇을 느꼈습니까?

활동하기

1. 여러분의 지난주 건강 계획을 기록하고 성찰 일지를 써 봅시다.

나의 건강 계획	월 일( )	월 일( )	월 일( )	월 일( )	월 일( )

한 주의 성찰 일지

24

활동하기

학생들이 서로 합심하여 상황과 목적에 맞춰 다양한 과제를 수행할 수 있도록 하였다.

08 부록

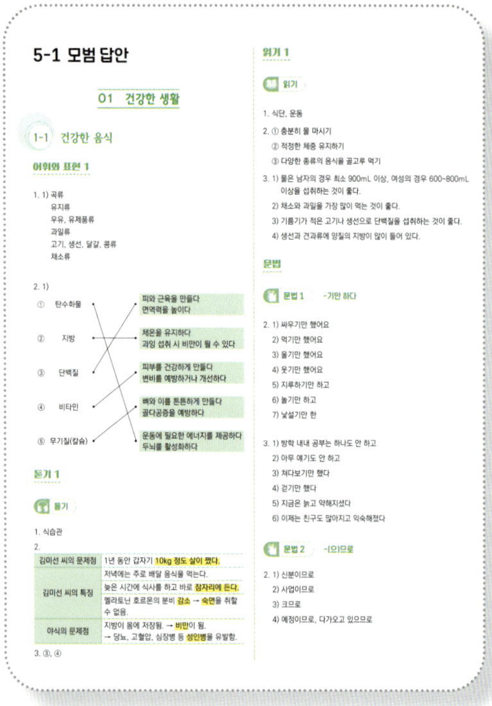
5-1 모범 답안

01 건강한 생활

1-1 건강한 음식

어휘와 표현 1

1. 1) 곡류
유지류
우유, 유제품류
과일류
고기, 생선, 달걀, 콩류
채소류

2. 1)
① 탄수화물
② 지방
③ 단백질
④ 비타민
⑤ 무기질(칼슘)

피와 근육을 만들다 면역력을 높이다
체온을 유지하다 과잉 섭취 시 비만이 될 수 있다
피부를 건강하게 만들다 변비를 예방하거나 개선하다
뼈와 이를 튼튼하게 만들다 골다공증을 예방하다
운동에 필요한 에너지를 제공하다 두뇌를 활성화하다

듣기 1

듣기

1. 식습관
2.

김미선 씨의 문제점	1년 동안 갑자기 10kg 정도 살이 쪘다.
김미선 씨의 특징	저녁에는 주로 배달 음식을 먹는다.
	늦은 시간에 식사를 하고 바로 잠자리에 든다.
	멜라토닌 호르몬의 분비 감소 → 숙면을 취할 수 없음.
야식의 문제점	지방이 몸에 저장됨. → 비만이 됨. → 당뇨, 고혈압, 심장병 등 성인병을 유발함.

3. ③, ④

읽기 1

읽기

1. 식단, 운동
2. ① 충분히 물 마시기
② 적정한 체중 유지하기
③ 다양한 종류의 음식을 골고루 먹기
3. 1) 물은 남자의 경우 최소 900mL 이상, 여성의 경우 600~800mL 이상을 섭취하는 것이 좋다.
2) 채소와 과일을 가장 많이 먹는 것이 좋다.
3) 기름기가 적은 고기나 생선으로 단백질을 섭취하는 것이 좋다.
4) 생선과 견과류에 양질의 지방이 많이 들어 있다.

문법

문법 1 -기만 하다

2. 1) 싸우기만 했어요
2) 먹기만 했어요
3) 울기만 했어요
4) 웃기만 했어요
5) 지루하기만 하고
6) 놀기만 하고
7) 낯설기만 한

3. 1) 방학 내내 공부는 하나도 안 하고
2) 아무 얘기도 안 하고
3) 쳐다보기만 했다
4) 걷기만 했다
5) 지금은 늙고 약해지셨다
6) 이제는 친구도 많아지고 익숙해졌다

문법 2 -(으)므로

2. 1) 신분이므로
2) 사업이므로
3) 크므로
4) 예정이므로, 다가오고 있으므로

듣기 대본

교재 내 듣기 활동에서 다룬 텍스트를 듣기 대본으로 정리하여 제시하였다.

모범 답안

어휘와 표현, 듣기와 읽기, 문법 등 각 영역의 문제에 대한 답을 제공하였다.

mp3 목록

듣기 음원의 번호를 단원과 영역, 쪽수에 맞춰 정리하여 제시하였다.

순화어 목록

국립국어원의 '우리말 다듬기' 누리집을 참고하여, 교재 내 외래어와 신조어를 보다 순화된 표현으로 정리하여 제공하였다.

참고 자료

교재에서 참고한 자료의 출처와 수업 시간에 활용 가능한 실제 자료 등을 정리하여 제공하였다.

09 별책 부록

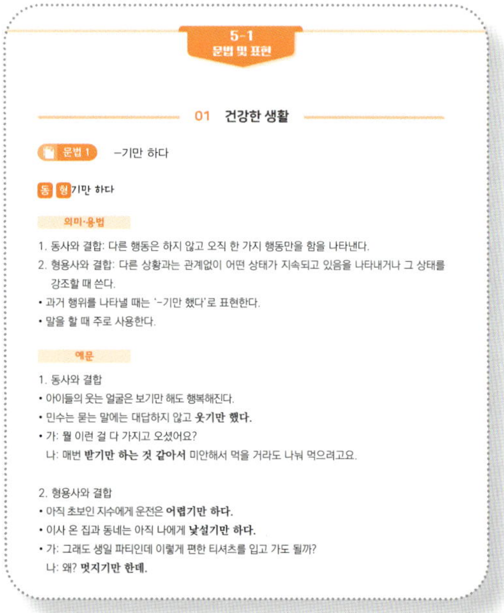
5-1 문법 및 표현

01 건강한 생활

문법 1 –기만 하다

동 형 기만 하다

의미·용법

1. 동사와 결합: 다른 행동은 하지 않고 오직 한 가지 행동만을 함을 나타낸다.
2. 형용사와 결합: 다른 상황과는 관계없이 어떤 상태가 지속되고 있음을 나타내거나 그 상태를 강조할 때 쓴다.
• 과거 행위를 나타낼 때는 '-기만 했다'로 표현한다.
• 말을 할 때 주로 사용한다.

예문

1. 동사와 결합
• 아이들의 웃는 얼굴은 보기만 해도 행복해진다.
• 민수는 묻는 말에는 대답하지 않고 **웃기만 했다.**
• 가: 뭘 이런 걸 다 가지고 오셨어요?
나: 매번 **받기만 하는 것 같아서** 미안해서 먹을 거라도 나눠 먹으려고요.

2. 형용사와 결합
• 아직 초보인 지수에게 운전은 **어렵기만 하다.**
• 이사 온 집과 동네는 아직 나에게 **낯설기만 하다.**
• 가: 그래도 생일 파티인데 이렇게 편한 티셔츠를 입고 가도 될까?
나: 왜? **멋지기만 한데.**

문법 해설

목표 문법에 대한 해설을 제공하였다. 문법의 의미와 용법, 제약 조건을 다양한 예문과 함께 제시함으로써, 학습자가 문법을 보다 깊이 이해하고 오류 발생을 최소화할 수 있도록 하였다.

어휘·표현 목록

각 영역에서 학습한 어휘와 표현을 교재의 학습 순서에 맞춰 체계적으로 정리하였다. 특히 학습자의 이해를 돕기 위해 속담, 연어, 숙어 등을 관련된 표현과 함께 묶어 제시하였다.

목차

국민한국어 5-1 교재 구성

단원		과	어휘·표현	듣기
1	건강한 생활	1-1 건강한 음식	영양소 관련 표현	식생활에 관한 다큐멘터리
		1-2 건강한 신체와 운동	질병 및 운동 관련 표현	건강 관련 뉴스
2	생활 속 매체	2-1 생활과 광고	광고 관련 표현	간접 광고에 관한 대화
		2-2 매체와 표현	기사 관련 표현	신문 방송국 신입 교육 연수
3	언어와 생활	3-1 소통하는 언어	언어 관련 표현	비언어적 표현에 관한 뉴스
		3-2 변화하는 언어	언어 변화 관련 표현	신조어 형성 방식에 관한 인터넷 강의
4	교육과 진로	4-1 한국의 교육 문제	교육 관련 표현	교육 관련 다큐멘터리에 관한 대화
		4-2 취업과 면접	취업 및 면접 관련 표현	취업 관련 동문 특강
5	사회 현상과 변화	5-1 한국 사회의 갈등	갈등 및 해결 관련 표현	층간 소음에 관한 캠페인
		5-2 가족 제도의 변화	가족 형태 및 출산 관련 표현	비혼 출산 관련 개인 방송과 강연
6	환경과 인간	6-1 환경 오염과 피해	환경 오염 관련 표현	기후 문제에 관한 다큐멘터리 내레이션
		6-2 환경 보호와 실천	환경 보호 관련 표현	생태 공원에 관한 발표
7	전통의 계승	7-1 궁중 음식의 변화	한식 관련 표현	궁중 음식에 관한 대화
		7-2 판소리의 계승	문화 전승 관련 표현	판소리계 소설 〈토끼전〉에 관한 강연

읽기	문법	활동
식품 구성 자전거 홍보 글	-기만 하다 -(으)므로	소그룹 발표하기
한국인의 운동 현황에 관한 신문 기사	-는/(으)ㄴ 데 반해 -다시피	
광고에 관한 설명문	-는/(으)ㄴ 듯이 은/는 말할 것도 없고	뉴스 전달하기
경연 대회에 관한 신문 기사	-(으)ㅁ으로써 -게끔	
거절에 관한 에세이와 자기 계발서	-는 둥 마는 둥 하다 -기 나름이다	발표문 작성하기
신조어 사용에 관한 웹툰	-는/(으)ㄴ 이상 -(으)ㄹ뿐더러	
학교 교육에 관한 인터뷰 기사	-(으)ㄹ 법하다 -(으)ㄹ 따름이다	모의 면접하기
채용 공고문 및 합격 통지서	에 한해 -고도 남다	
층간 소음에 관한 칼럼과 편지	-는 통에 -다 못해	토론하기 1
가족 형태에 관한 기획 기사	-는 한 -(으)ㄹ 리 없다	
기후 재난에 관한 블로그 글	-(으)ㄴ 나머지 은/는 물론	1분 스피치하기
재생 도시 홈페이지 안내문	-(으)ㄹ 틈이 없다 -(으)ㅁ에도 불구하고	
떡볶이의 유래와 변화에 관한 설명문	-(으)려던 참이다 을/를 불문하고	문학 작품 개작하기
판소리 공연에 관한 설명문	-는/(으)ㄴ 동시에 -(으)ㄴ 끝에	

01 건강한 생활

1-1 / 건강한 음식

어휘·표현 1	영양소 관련 표현
듣기 1	식생활에 관한 다큐멘터리
읽기 1	식품 구성 자전거 홍보 글
문법	-기만 하다, -(으)므로

1-2 / 건강한 신체와 운동

어휘·표현 2	질병 및 운동 관련 표현
읽기 2	한국인의 운동 현황에 관한 신문 기사
듣기 2	건강 관련 뉴스
문법	-는/(으)ㄴ 데 반해, -다시피

활동 소그룹 발표하기

1. '건강'을 생각하면 어떤 단어가 떠오릅니까?

예 운동, 식생활, 비만, 다이어트 등

2. 여러분은 건강 관리가 중요하다고 생각합니까? 평소 어떻게 건강을 관리하고 있습니까?

1-1 건강한 음식

어휘와 표현 1

1. 식품군과 영양소에 대해 알아봅시다.

식품군	곡류	유지, 당류	고기, 생선, 달걀, 콩류	채소류, 과일류	우유, 유제품류
영양소	탄수화물	지방	단백질	비타민	무기질(칼슘)

1) 다음은 어떤 식품군에 포함됩니까?

식품		식품군
밥, 빵, 떡, 국수 등		
설탕, 콩기름, 올리브유 등		
우유, 치즈, 요구르트 등		
수박, 딸기, 귤, 바나나, 오렌지 등		
소고기, 닭고기, 달걀, 콩, 두부 등		
양파, 버섯, 상추, 마늘, 당근 등		

2) 각 식품군은 어떤 영양소를 가지고 있습니까?

2. 영양소의 역할에 대해 알아봅시다.

1) 알맞은 것을 연결하십시오.

① 탄수화물	•	• 피와 근육을 만들다 면역력을 높이다
② 지방	•	• 체온을 유지하다 과잉 섭취 시 비만이 될 수 있다
③ 단백질	•	• 피부를 건강하게 만들다 변비를 예방하거나 개선하다
④ 비타민	•	• 뼈와 이를 튼튼하게 만들다 골다공증을 예방하다
⑤ 무기질(칼슘)	•	• 운동에 필요한 에너지를 제공하다 두뇌를 활성화하다

2) 함께 이야기해 보십시오.

① 여러분은 하루에 어떤 영양소를 가장 많이 섭취하는 편입니까?

② 여러분 나라 사람들이 건강에 좋다고 생각하는 음식은 무엇입니까? 그 음식에는 어떤 영양소가 많이 들어 있습니까?

③ 겨울에 몸의 체온을 유지하려면 어떻게 하는 것이 좋습니까?

④ 골다공증을 예방하는 데 좋은 음식은 무엇입니까?

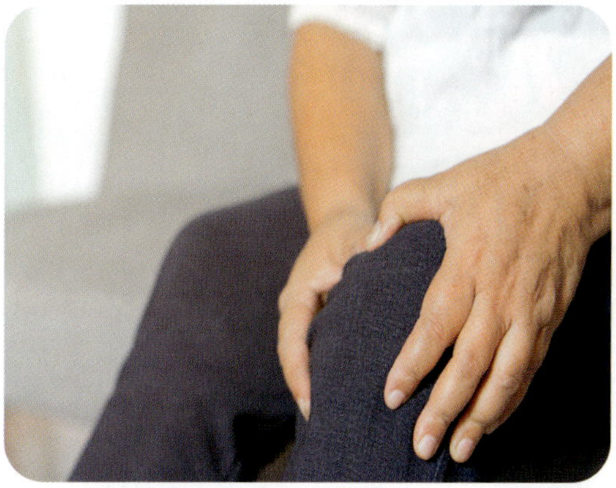

3. 칼로리(kcal)와 관련된 표현을 알아봅시다.

칼로리를 섭취하다	칼로리를 계산해서 먹다	칼로리가 높다/낮다	칼로리를 소모하다/소비하다

1) 여러분은 기준에 맞게 칼로리를 섭취하는 편입니까? 그렇지 않다면 이유는 무엇입니까?

● 하루에 필요한 열량(칼로리)

연 령	적은 활동		보통		많은 활동	
	남자	여자	남자	여자	남자	여자
15~18세	2,700	2,000	3,200	2,300	3,700	2,800
19~29세	2,600	2,000	2,900	2,300	3,400	2,600
30~49세	2,500	1,900	2,800	2,200	3,200	2,500

〈출처: 한국영양학회〉

2) 여러분이 어제 먹은 음식을 5가지 정도 생각해 보고, 칼로리가 얼마인지 계산해 보십시오.

어제 먹은 음식

음식의 각 칼로리

총 칼로리

3) 여러분은 칼로리가 높은 음식과 낮은 음식 중 어떤 음식을 즐겨 먹는 편입니까?

4) 칼로리 소모에 효과적인 운동에는 무엇이 있습니까?

듣기 1

준비하기

1. 여러분의 식습관은 어떻습니까?

세 끼를 챙겨 먹는다	☐	음식을 자주 배달 시켜 먹는다	☐
밤에 야식을 자주 먹는다	☐	직접 요리해서 먹는다	☐
과식이나 폭식을 한다	☐	정해진 시간에 규칙적으로 먹는다	☐

2. 여러분은 멜라토닌 호르몬에 대해 들어 본 적이 있습니까?

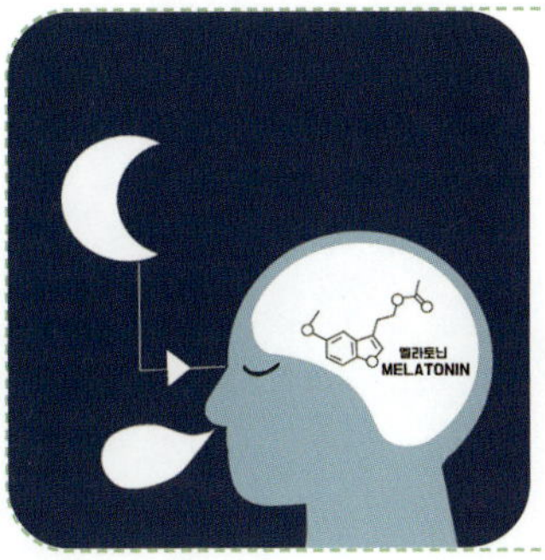

멜라토닌(melatonin):
잠을 자는 동안 뇌에서 나오는 호르몬.
편안하게 잠을 잘 수 있도록 하고 면역력을 높이는 기능을 한다.

듣기

● **생활 습관에 관한 다큐멘터리를 듣고 질문에 답하십시오.** ♪ **01-1**

1. 무엇에 대해 이야기하고 있습니까?

김미선 씨 ____________ 의 문제점

2. 다음 표를 완성하십시오.

김미선 씨의 문제점	1년 동안 갑자기 ______.
김미선 씨의 특징	저녁에는 주로 배달 음식을 먹는다.
	늦은 시간에 식사를 하고 바로 ______.
야식의 문제점	멜라토닌 호르몬의 분비 ______ → ______을 취할 수 없음.
	지방이 몸에 저장됨. → ______이 됨. → 당뇨, 고혈압, 심장병 등 ______을 유발함.

3. 들은 내용과 같은 것을 모두 고르십시오.

① 김미선 씨는 요리하는 것을 좋아한다. ☐

② 김미선 씨는 아무리 피곤해도 주말에는 운동을 하려고 노력한다. ☐

③ 건강이 나빠지는 악순환의 고리를 끊으려면 야식 섭취를 줄여야 한다. ☐

④ 잠자리에 들기 3~4시간 전부터는 음식을 섭취하지 않는 것이 좋다. ☐

4. 들은 내용을 정리해서 말해 보십시오.

읽기 1

준비하기

1. 다음 그림은 무엇을 표현하는 것 같습니까?

2. 여러분은 '식품 구성 자전거'라는 말을 들어 본 적이 있습니까?

읽기

● 식품 구성 자전거에 관한 글을 읽고 질문에 답하십시오.

Q 식품 구성 자전거란 무엇인가요?

A 식품 구성 자전거는 균형 잡힌 식단과 규칙적인 운동이 건강을 유지하는 데 중요하다는 것을 많은 사람이 이해하기 쉽도록 그림으로 제시한 것입니다. 즉, 매일 신선한 채소와 과일, 곡류와 고기 등을 균형 있게 섭취하고 물을 충분히 마시며 규칙적인 운동을 하면 건강을 유지할 수 있다는 것을 나타냅니다.

Q 그림을 좀 더 자세히 설명해 주시겠어요?

A 이 그림은 크게 세 가지를 나타냅니다. 가장 크게 그려진 자전거 뒷바퀴는 매일 다양한 식품을 균형 있게 섭취하는 것이 중요함을 보여 줍니다. 그리고 자전거 앞바퀴는 충분히 물을 섭취해야 한다는 것을, 자전거에 앉아 있는 사람은 적정 체중을 유지하기 위해 규칙적인 운동을 할 필요가 있다는 것을 의미합니다.

Q 물은 하루에 어느 정도 마시는 것이 좋은가요?

A 물은 우리 몸의 약 60~70%를 차지하므로 일상생활에서 충분히 섭취하는 것이 중요합니다. 전문가들이 권장하는 하루 물 섭취량은 약 2L입니다. 그런데 수분은 음식이나 음료를 통해서도 보충되기 때문에 실제 물만으로 섭취해야 하는 양은 그보다 적습니다. 남성은 하루 최소 900mL 이상, 여성은 600~800mL 이상을 섭취하는 것이 좋습니다. 이는 남성의 경우 약 다섯 컵, 여성은 서너 컵 정도의 양에 해당됩니다.

Q 어떤 식품과 영양소를 얼마나, 어떻게 먹는 것이 좋습니까?

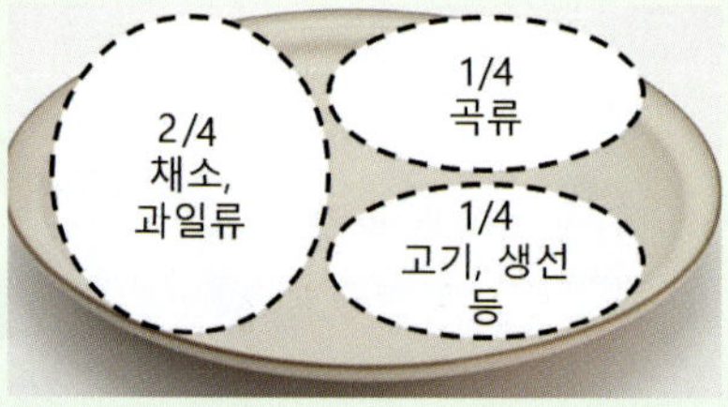

A 그림에서 알 수 있듯이 전체 식사의 절반 정도를 채소와 과일로 먹는 것이 좋은데요. 매끼 다양한 종류의 채소와 과일을 충분히 섭취하는 것이 필요합니다. 나머지는 탄수화물과 단백질을 비슷한 양으로 섭취합니다. 탄수화물은 통곡물 형태로 섭취하는 것이 좋고, 단백질은 기름기가 적은 고기나 생선을 드시는 것이 좋습니다. 그 밖에 유지류와 설탕 등 당류는 다른 식품에 비해서 칼로리가 높기 때문에 되도록 적게 섭취하는 것이 건강 유지에 바람직합니다. 대신 생선과 견과류에 양질의 지방이 많이 포함되어 있으므로 신경 써서 챙겨 먹는 것이 좋습니다.

1. 식품 구성 자전거가 나타내고 있는 것은 무엇입니까?

균형 잡힌 ________ 과 규칙적인 ________ 의 중요성

2. 다음 그림이 의미하는 것을 쓰십시오.

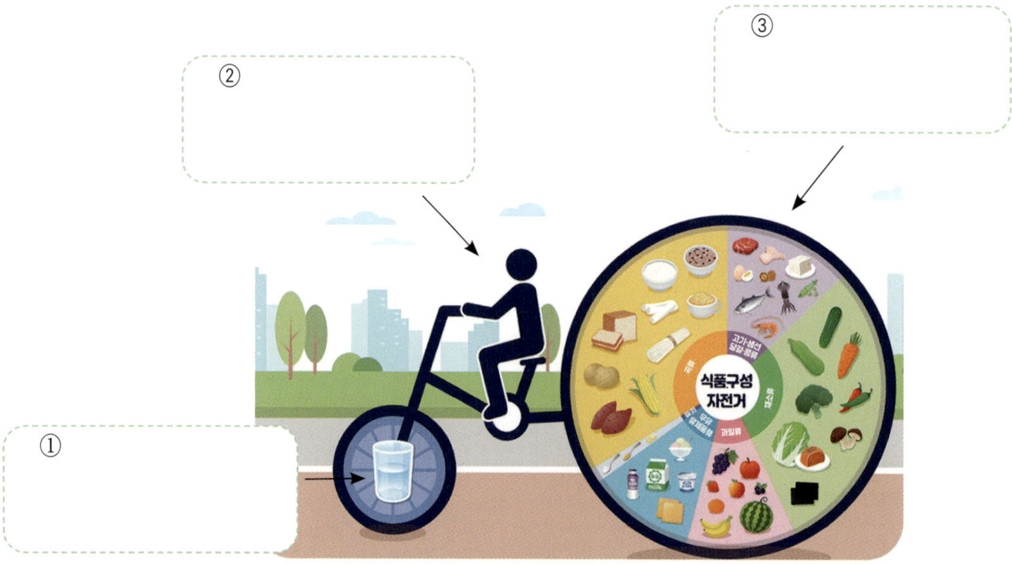

3. 묻고 대답하십시오.

1) 물은 하루에 어느 정도 마시는 것이 좋습니까?
2) 매끼 어떤 식품을 가장 많이 먹는 것이 좋습니까?
3) 어떤 식품을 통해 단백질을 섭취하는 것이 좋습니까?
4) 좋은 지방이 많이 들어 있는 음식은 무엇입니까?

4. 다음 표현을 이용하여 읽은 내용을 정리해서 말해 보십시오.

식품 구성 자전거	식단	운동	물
섭취해야 하는 식품의 양과 종류	채소와 과일	통곡물	고기와 생선

5. 함께 이야기해 보십시오.

1) 여러분이 자주 먹는 음식은 무엇입니까? 그 음식의 대표 영양소는 무엇입니까?

구 분	음 식	대표 영양소
아 침		
점 심		
저 녁		
간 식		

2) 여러분이 적정한 양보다 많이/적게 섭취하는 영양소는 무엇입니까?

많이 섭취하는 영양소	줄여야 할 음식	적게 섭취하는 영양소	보충해야 할 음식

3) 본인의 식습관을 평가하고 올바른 식습관을 위한 다짐을 쓰십시오.

① 다양한 식품군을 골고루 섭취하며 규칙적으로 식사합니다. ☆☆☆☆☆
② 짜거나 단 음식, 기름진 음식을 적게 먹습니다. ☆☆☆☆☆
③ 매일 충분히 물을 마십니다. ☆☆☆☆☆
④ 매일 1시간 이상 신체 활동을 해서 적당한 체중을 유지합니다. ☆☆☆☆☆
⑤ 적당한 시간에 잠자리에 들어 7~8시간 충분히 수면을 취합니다. ☆☆☆☆☆

나의 다짐:

문법

문법 1 -기만 하다

1. 다음 문법의 의미를 생각해 봅시다.

- 운동을 거의 안 하고 **누워 있기만 했더니** 계속 살이 찌더라고요.
- 선생님께서는 아무 말 없이 **내 말을 듣기만 하셨다.**
- 한국어를 배운 지 1년이나 되었지만 아직도 말하기는 **어렵기만 해요.**

2. 알맞은 것을 골라 말해 봅시다.

보기	✔싸우다	지루하다	낯설다	울다	웃다	놀다	먹다

1) 어렸을 때 나와 동생은 사이가 안 좋아서 만나면 싸우기만 했어요.
2) 우리 둘은 너무 배가 고파서 아무 말 없이 눈앞의 음식을 ______________.
3) 아기는 어디가 아픈지 1시간 동안 먹지도 않고 ______________.
4) 남자 친구는 내가 하는 말이 재미있는지 계속 큰소리로 ______________.
5) 그 영화는 ______________ 하나도 재미없었어.
6) 어렸을 때 나는 ______________ 공부는 전혀 안 하는 아이였어.
7) 처음 이사 왔을 때는 ______________ 동네였는데 오래 사니까 이제는 정이 많이 들었어요.

3. 다음과 같이 문장을 완성해 봅시다.

1) 방학 내내 공부는 하나도 안 하고 놀기만 했다.
2) ______________ 듣기만 했다.
3) 가만히 앉아서 여자 친구 얼굴을 ______________.
4) 도시에 구경할 게 너무 많아서 다섯 시간 동안 계속 ______________.
5) 어렸을 때는 무섭기만 한 아버지였는데 ______________.
6) 힘들기만 했던 유학 생활이었는데 ______________.

4. 함께 이야기해 봅시다.

1) 주말에는 보통 뭐 해요? 다양한 활동을 해요? 아니면 한두 가지 일만 해요?
2) 살면서 계속 어떤 행동을 반복적으로 했던 적이 있었어요?
3) 가족이나 친구 중에 마음에 안 드는 말이나 행동을 하는 사람이 있어요? 어떤 말이나 행동을 해요?

문법 2 -(으)므로

1. 다음 문법의 의미를 생각해 봅시다.

- 견과류에는 양질의 지방이 **포함되어 있으므로** 신경 써서 챙겨 먹는 것이 좋습니다.
- 1년 동안 열심히 공부하여 우수한 성적을 **받았으므로** 이 상장을 드립니다.
- 물과 공기는 인간에게 꼭 **필요한 것이므로** 깨끗하게 보호해야 합니다.

2. 알맞은 것을 골라 말해 봅시다.

보기	예정이다	✔ 신분이다	크다	사업이다	다가오고 있다

1) 교장 선생님: 여러분은 지금 학생 신분이므로 학생의 할 일인 공부를 열심히 해 주시기 바랍니다.

2) 사장님: 아파트 건설은 우리 회사의 대표적인 __________ 모두 최선을 다해 주시기 바랍니다.

3) 의사: 환절기에는 일교차가 __________ 감기에 걸리지 않도록 주의해 주십시오.

4) 뉴스: 이번 장마는 한 달간 계속될 __________ 건강 관리에 주의를 기울여 주시기 바랍니다. 또한 현재 태풍도 장마와 함께 __________ 창문을 꼭 닫아 주시기 바랍니다.

3. 다음 주제 중 하나를 골라 글을 써 봅시다.

우리가 자연 환경을 보호해야 하는 이유	다른 사람의 의견을 존중해야 하는 이유	사형 제도를 유지해야 /없애야 하는 이유

1-2 건강한 신체와 운동

어휘와 표현 2

1. 신체를 나타내는 어휘를 알아보고, 알맞은 단어를 골라 쓰십시오.

관절

근육

뼈 ─ 머리뼈
- 어깨뼈
- 척추뼈
- 골반뼈
- 종아리뼈

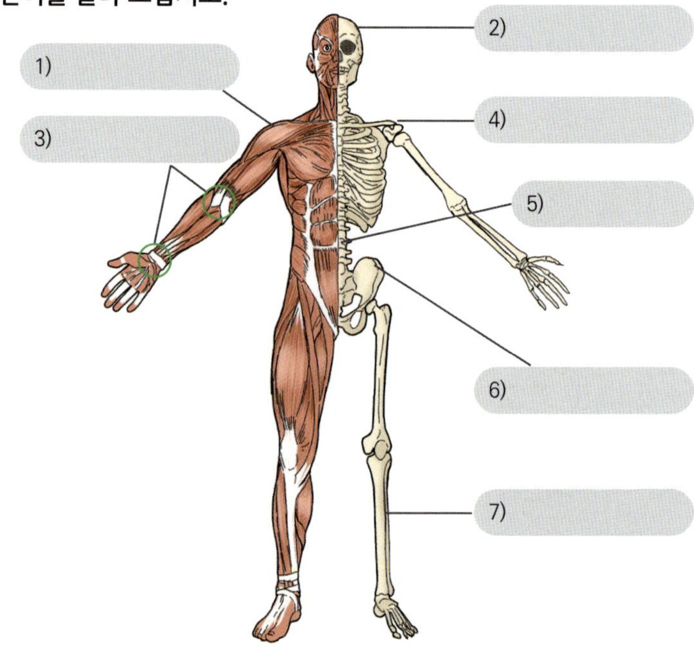

2. 잘못된 습관이나 사고로 인해 생기는 증상에 대해 알아봅시다.

원인	증상
손목/발목/허리를 삐끗하다 혈액 순환이 안 되다	근육/목/어깨가 뭉치다 발/다리/어깨/온몸/머리가 쑤시다 팔/다리에 쥐가 나다 손/팔/발/다리가 저리다

1) 〈보기〉에서 알맞은 표현을 골라 쓰십시오.

보기	쥐가 나다	삐끗하다	쑤시다	뭉치다	저리다

① 혈액 순환이 잘 안 되면 손발이 차고 ____________는 증상이 나타난다.

② 무릎을 꿇고 앉아서 차를 마셨더니 다리에 ____________.

③ 무거운 짐을 무리해서 들다가 허리를 ____________.

④ 어제부터 머리가 ____________고 아파서 편두통 약을 먹었다.

⑤ 어제 하루 종일 컴퓨터 작업을 했더니 목뒤의 근육이 ____________.

2) 함께 이야기해 보십시오.

① 컴퓨터를 너무 오래 해서 목이 뭉쳤을 때는 어떻게 하면 좋습니까?

② 서두르다가 발목을 삐끗한 적이 있었습니까?

③ 온몸이 쑤시고 아팠던 적이 있었습니까?

④ 여러분은 다리에 쥐가 난 적이 있습니까? 쥐가 나면 어떻게 합니까?

3. 운동과 관련된 어휘를 알아봅시다.

1) 유산소 운동과 근력 운동으로 분류해서 말해 보십시오.

① 
② 
③ 
④ 
⑤ 
⑥ 
⑦ 
⑧ 

런지
플랭크
스쿼트
수영하기
가볍게 뛰기
빠르게 걷기
자전거 타기
윗몸 일으키기

유산소 운동	근력 운동

2) 위의 운동을 하면 건강에 어떤 도움이 됩니까?

3) 운동을 하면 우리 몸에 어떤 변화가 일어납니까?

① 규칙적으로 운동을 하다 → 우울감이나 스트레스를 줄일 수 있다

② 요가를 하다 → 유연성을 높일 수 있다, 균형 감각이 좋아지다

③ 근력 운동을 하다 → 근력을 키울 수 있다, 체력이 좋아지다

④ 유산소 운동을 하다 → 체중을 줄일 수 있다, 폐와 심장 기능이 좋아지다

4) 함께 이야기해 보십시오.

① 여러분은 어떤 유산소 운동을 해 봤습니까? 해 보니까 어땠습니까?

② 근력 운동을 해 본 적이 있습니까? 어떤 운동을 해 봤습니까?

③ 가장 효과가 좋다고 생각하는 운동을 추천해 주십시오.

읽기 2

준비하기

1. 여러분은 생활 속에서 운동을 많이 하는 편입니까?

2. 다음 표를 보고 질문에 답하십시오.

연령별 생활 체육 참여율

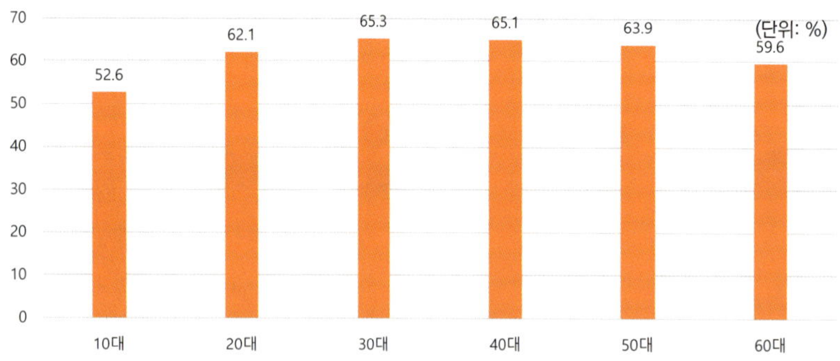

〈출처: 문화체육관광부〉

1) 어떤 연령이 체육 활동을 가장 열심히 합니까? 왜 그런 것 같습니까?
2) 어떤 연령이 체육 활동을 가장 적게 합니까? 왜 그런 것 같습니까?
3) 가장 인상적인 결과는 무엇입니까?

읽기

● 운동 현황에 관한 신문 기사를 읽고 질문에 답하십시오.

'______________'는 이유로 10대 청소년 운동 참여율, 전 연령대 중 최저 기록

가 문화체육관광부에서 10세 이상 국민 9천 명을 대상으로 생활 속에서 얼마나 체육 활동을 하고 있는지를 조사하여 발표했다.

국민 전체의 생활 체육 참여율은 61.2%로 전년 대비 0.4% 증가했다. 이 중에서 가장 높은 참여율을 보인 연령대는 30대였다. 30대는 65.3%가 규칙적으로 운동을 하면서 전 연령대에서 체육 활동에 가장 많이 참여했다. 이는 지난해 57.5%에서 7.8% 오른 수치이다. 30대와 함께 40~50대 중년층의 체육 활동 참여율도 증가했다.

그러나 우려할 만한 사실은 10대 청소년의 운동 참여 현황이다. 30~40대는 65%가 넘는 사람들이 운동에 참여한 데 반해 10대 청소년은 전년보다 2.4% 줄어든 52.6%만이 체육 활동에 참여했다. 이는 전체 평균에도 미치지 못하는 수치이다.

나 10대 청소년에게 체육 활동에 참여하지 않는 이유에 대해 물었더니, '체육 활동을 할 시간이 부족해서'라는 대답이 70.6%로 가장 높았다. 그리고 '체육 활동에 대한 관심 부족'과 '체육 시설의 낮은 접근성', 그리고 '비용 부담'이라는 응답이 뒤를 이었다.

다 이러한 문제를 해결하기 위해 정부는 10대 청소년의 운동 참여를 늘리기 위한 종합적인 계획을 발표했다. 중고등학교의 체육 시간을 점차적으로 늘리고, 10대가 선호하는 운동에 대한 수요 조사를 바탕으로 맞춤형 체육 프로그램을 개발하여 제공할 예정이다. 또한 다양한 스포츠 종목을 경험해 볼 수 있도록 관련 체육 예산을 증액하고, 청소년 전용 체육 시설도 매년 늘려 나갈 계획이다.

1. 신문 기사의 제목을 완성하십시오.

2. 알맞은 중심 내용을 연결하십시오.

가 •		• 10대의 생활 체육 참여율이 낮은 이유
나 •		• 연령에 따른 생활 체육 참여율 현황
다 •		• 10대의 운동 참여율을 높이기 위한 정부의 계획

3. 읽은 내용과 같은 것을 모두 고르십시오.

① 국민 전체의 생활 체육 참여율은 1년 전보다 감소했다. ☐
② 올해 생활 체육 참여율이 가장 높은 연령대는 40대이다. ☐
③ 10대 청소년은 국민의 전체 평균보다 운동을 적게 하고 있다. ☐
④ 정부는 10대가 원하는 활동을 조사해서 프로그램을 개발할 것이다. ☐

4. 읽은 내용을 정리해서 말해 보십시오.

듣기 2

준비하기

1. 여러분의 요즘 건강 상태는 어떻습니까?

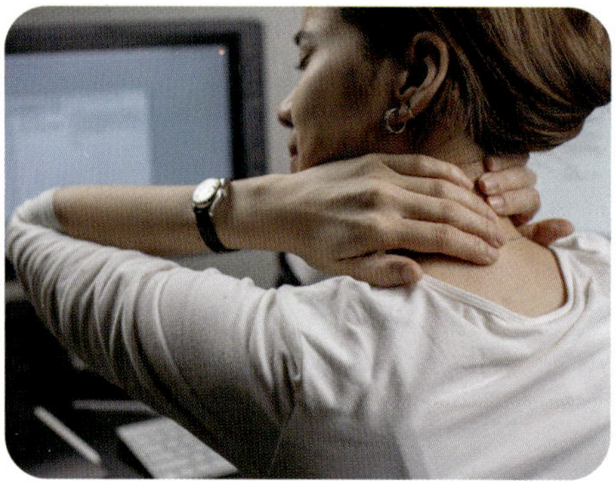

2. 다음 운동을 할 수 있는지 이야기해 보십시오.

① 런지를 한 번에 20회 할 수 있다.
② 스쿼트를 한 번에 20회 할 수 있다.
③ 의자에 앉았다가 한 발로 일어날 수 있다.
④ 눈을 감고 한쪽 다리로 3분 이상 서 있을 수 있다.
⑤ 눈을 감고 1분 동안 고정된 위치에서 제자리걸음을 할 수 있다.

듣기 2-1

● 건강에 관한 뉴스를 듣고 질문에 답하십시오. 01-2

1. 무엇에 대해 이야기하고 있는지 고르십시오.

① 운동 기능 저하 증후군의 정의 □
② 운동 기능 저하 증후군에 좋은 음식 □

2. 묻고 대답하십시오.

1) 운동 기능 저하 증후군이 심해지면 어떤 문제가 생깁니까?
2) 젊은 사람들에게도 운동 기능 저하 증후군이 생기는 원인은 무엇입니까?
3) 운동 기능 저하 증후군을 예방하기 위해 추천하는 방법은 무엇입니까?

3. 다음 그림을 이용하여 들은 내용을 정리해서 말해 보십시오.

1단계

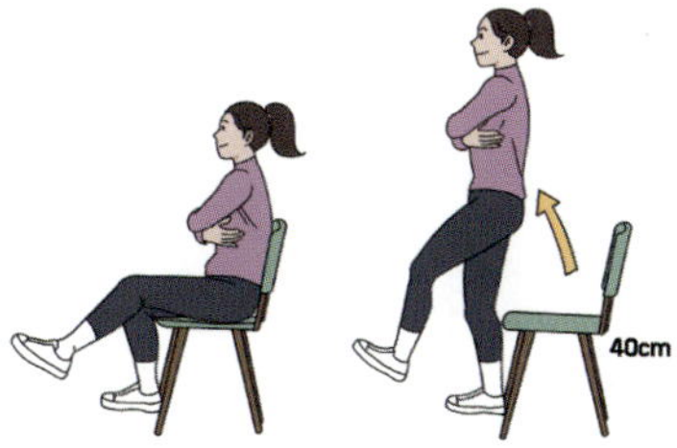

2단계

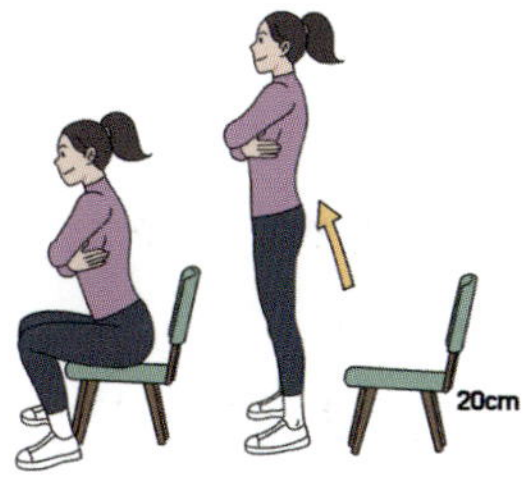

듣기 2-2

● 훈련법에 관한 설명을 듣고 질문에 답하십시오. 01-3

1. 무엇에 대해 이야기하고 있습니까?

신체 운동 ________ 을 높이는 훈련법

2. 뉴스에서 설명한 훈련법이 아닌 것을 고르십시오.

① 스쿼트

② 런지

③ 발꿈치 올렸다 내리기

④ 빨리 달리기

3. 다음 표를 완성하십시오.

	훈련법
①	( )고 한쪽 다리로 서 있기, 1분씩, 3회
②	( )을 어깨너비로 ( ) 다음에 천천히 앉는 스쿼트, 5~15회, 3세트
③	똑바로 서서 ( )를 천천히 ( ) 내리기, 10~20회, 3세트
④	한쪽 다리를 앞으로 ( )고 천천히 앉는 런지, 10~20회, 3세트

4. 함께 이야기해 보십시오.

1) 여러분 나라의 청소년들은 어떤 운동을 많이 합니까?
2) 본인이 운동 기능 저하 증후군에 해당되는지 측정해 보십시오.
3) 네 가지 훈련법을 해 본 후 느낀 점을 이야기해 보십시오.

전달력 향상하기

발음에 주의하면서 읽어 보십시오.

1) 운동을 하지 않으면 젊은 사람에게도 점차 활동이 어려워지는 운동 기능 저하 증후군이 나타날 수 있다고 합니다.
2) 운동 기능 저하 증후군이란 뼈·척추·관절·근육 같은 기관이 약해지면서 기본적인 움직임에도 어려움이 생기는 질환을 말합니다.
3) 두 번째는 양발을 어깨너비로 벌린 다음에 천천히 앉는 스쿼트를 3세트 하는 겁니다.

문법

문법 3 -는/(으)ㄴ 데 반해

1. 다음 문법의 의미를 생각해 봅시다.

- 30대는 65.3%가 운동에 **참여한 데 반해** 10대는 52.6%만이 체육 활동에 참여했다.
- 그는 일 처리 속도가 **느린 데 반해** 꼼꼼해서 거의 실수를 하지 않는다.
- 어머니는 성격이 **적극적인 데 반해** 아버지는 조용하고 소극적인 편이시다.

2. 알맞은 것을 연결한 뒤에 말해 봅시다.

1) 부인은 활발한 데 반해 남편은 내성적인 편입니다.

1) 부인은 활발하다 • —— • 남편은 내성적인 편이다

1) 부인은 활발하다 •	• 방은 너무 좁다
2) 이 집은 거실이 크다 •	• 남편은 내성적인 편이다
3) 대학 졸업자 수는 늘고 있다 •	• 일자리는 줄어들고 있다
4) 그 신입 사원은 성격은 좋다 •	• 업무 능력은 좀 떨어지다

3. 다음과 같이 문장을 완성해 봅시다.

1) 민수는 수학을 잘하는 데 반해 영어는 별로 잘하지 못한다.
2) ____________________ 필리핀의 겨울은 따뜻하다.
3) 민수 씨 회사는 월급은 많이 주는 데 반해 ____________________.
4) 시골은 인구가 감소하는 데 반해 도시는 ____________________.
5) 농업 기술의 발전으로 쌀의 생산량은 ____________________ 소비량은 감소하고 있다.

4. 다음 내용을 비교해서 써 봅시다.

1) 가족들의 성격

____________________.

2) 4급 수업과 5급 수업

____________________.

3) 10년 전 고향과 현재 고향 모습

____________________.

4) 유학 오기 전 생활과 유학 온 다음의 생활

____________________.

문법 4 -다시피

1. 다음 문법의 의미를 생각해 봅시다.

- 다들 **짐작하시다시피** 건강을 지키려면 규칙적으로 운동하는 것이 중요합니다.
- 직원 여러분들도 **아시다시피** 요즘 회사 상황이 별로 좋지 않습니다.
- 이것보다 더 큰 신발은 없을까요? **보다시피** 제가 발이 큰 편이거든요.

2. 알맞은 것을 골라 말해 봅시다.

보기	✔ 아시다	잘 알려져 있다	나와 있다	보셨다	공지했다

1) 여러분들도 잘 ___아시다시피___ 우리 학교의 작년 진학 성적이 좋지 않습니다.

2) 사무실에서 ______________ 다음 주에 비자 연장이 있습니다.

3) 아까 다큐멘터리에서 ______________ 한국 사회의 고령화가 빠르게 진행되고 있습니다.

4) 여기 있는 그래프에 ______________ 우리 회사의 매출이 매년 늘고 있습니다.

5) 일반적으로 ______________ 칼슘은 뼈를 건강하게 유지해서 골다공증을 예방하는 데 도움을 주는 중요한 영양소입니다.

3. 함께 이야기해 봅시다.

1) 건강에 대해 알고 있는 상식을 말해 봅시다.

2) 다음 자료를 보면서 설명해 봅시다.

〈건물의 위치〉

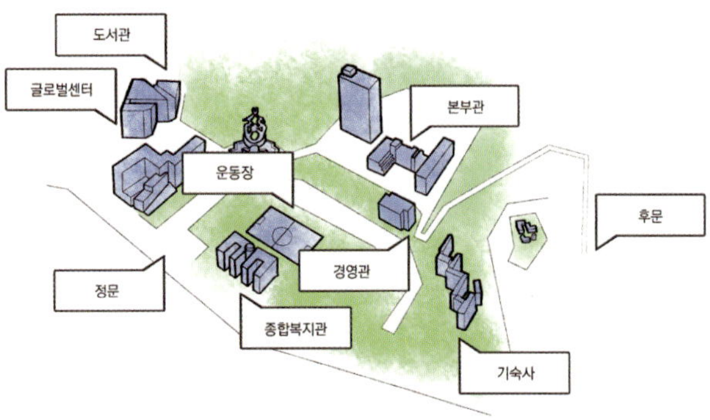

〈쌀 소비 감소 요인〉

※ 복수 응답 허용

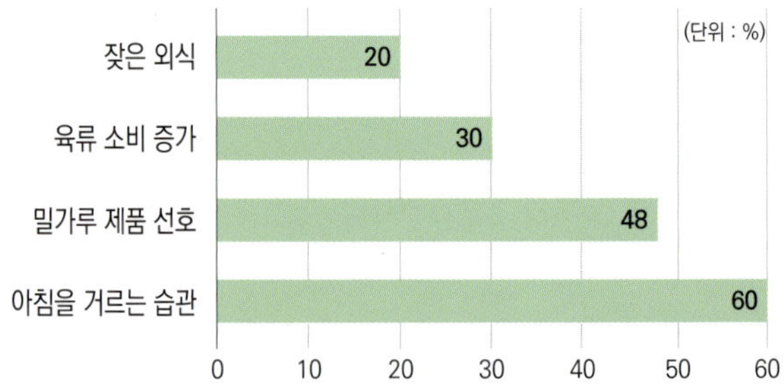

활동 소그룹 발표하기

준비하기

1. 현재 자신의 건강 상태는 몇 점이라고 생각합니까? 왜 그렇게 생각합니까?

최저 0점 ←――――――――――――――――――――――――――――――→ 최고 10점

2. 현재 건강 상태에 대해 이야기해 봅시다.

신체 건강	나	친구
수면		
유산소 운동		
근육 운동		
다양한 채소 및 과일 섭취		
물 마시기		
금연		
금주		

정신 건강	나	친구
휴식		
친구 관계		
가족 관계		
취미 생활		
집중력		
불안감 X		
우울증 X		

3. 미나의 지난주 건강 계획과 성찰 일지를 보고 질문에 답해 봅시다.

미나의 건강 계획	월	화	수	목	금
12시 전에 잠자리에 들기	O	△	X	X	X
하루 세 끼 챙겨 먹기	X	X	X	X	X
매일 채소와 과일 먹기	O	O	O	O	O
자기 전에 스트레칭 하기	O	O	O	O	O

한 주의 성찰 일지 (결심한 계획, 실행 후 느낀 점, 이후 계획 등)

내 생활을 돌아봤을 때 나의 가장 큰 문제는 불규칙적인 식사와 부족한 수면, 그리고 나쁜 자세 때문에 항상 목과 어깨가 뭉치고 쑤신다는 점이다. 그래서 3주 전부터 몇 가지 습관을 **실천하기로 결심했다.** 12시 전에 잠자리에 들기, 하루 세 끼 챙겨 먹기, 영양소가 골고루 들어 있는 음식 먹기, 그리고 목과 어깨를 풀어줄 수 있도록 스트레칭 하기가 그것이다. 예전에는 건강에 대해 전혀 생각이 없었는데 이런 결심을 **한 것 자체가 큰 변화였다.**

지난주에는 매일 채소를 챙겨 먹고 스트레칭을 했다. **꾸준히 실천하다니** 나 스스로가 **정말 자랑스럽다. 그 덕분에** 목과 어깨도 조금 편해졌고 편두통도 나아졌다. 두 가지 습관은 지속적으로 **실천할 것이다.**

그렇지만 하루에 세 끼 챙겨 먹기는 전혀 지키지 못했다. 아침엔 일어나서 학교 가기도 시간이 빠듯하기 때문에 **현실적으로 아침을 챙겨 먹는 것은 어려웠다.** 그래서 내일부터는 사과를 가져가서 학교에서 요거트와 함께 **먹어 볼 생각이다.** 12시 전에 잠자리에 드는 것도 쉽지 않았다. 일찍 자야 아침도 먹고 맑은 정신으로 수업도 **들을 수 있을 텐데 말이다.** 밤에 생각 없이 핸드폰을 보기 시작하면 2~3시를 자주 **넘기게 된다.** 밤에 핸드폰으로 음악을 듣거나 sns를 하는 것이 나에게는 **휴식으로 느껴지는 것 같다.** 그렇지만 건강에는 좋지 않으니까 친구들과 의논해서 좋은 방법을 **생각해 볼 예정이다.**

1) 미나는 건강을 위해 어떤 계획을 세웠습니까?

2) 미나가 잘 지킨 계획과 지키지 못한 계획은 무엇입니까?

3) 미나는 활동을 한 다음에 무엇을 느꼈습니까?

활동하기

1. 여러분의 지난주 건강 계획을 기록하고 성찰 일지를 써 봅시다.

나의 건강 계획	월 일( )	월 일( )	월 일( )	월 일( )	월 일( )

한 주의 성찰 일지

2. 소그룹으로 모여 건강 계획과 성찰 일지를 발표해 봅시다.

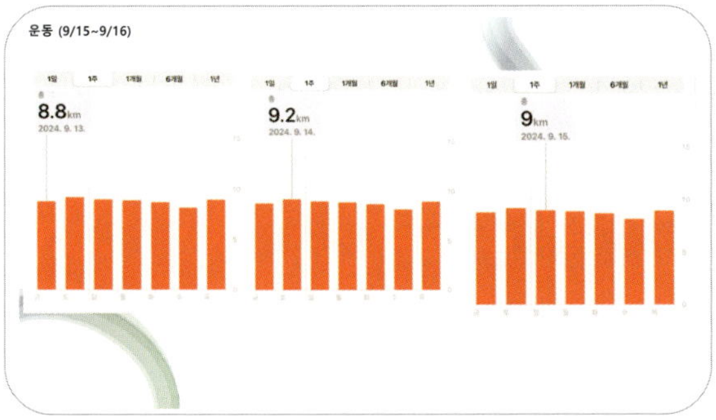

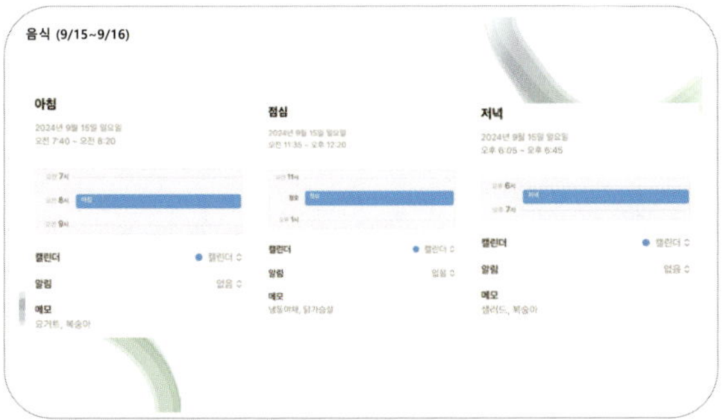

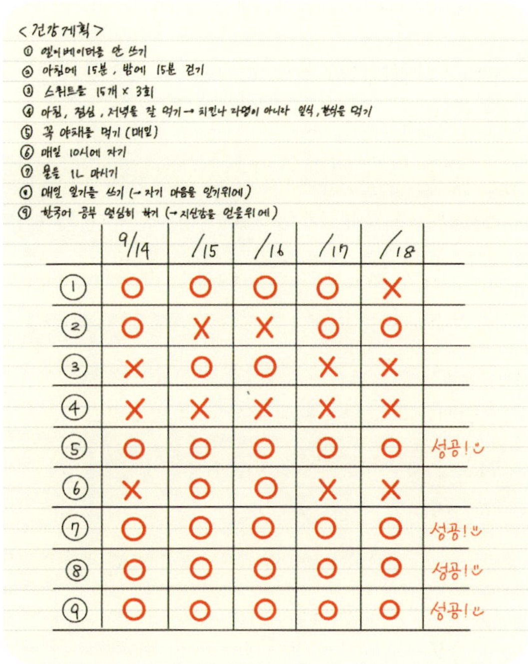

3. 다른 사람의 성찰 일지를 들으면서 적절히 반응해 봅시다.

1) 잘 지킨 건강 계획에 대해 칭찬하고 격려하기
   - 진짜 훌륭해요. 지킬 수 있는 계획을 세워서 꾸준히 노력하셨네요.

2) 잘 지키지 못한 건강 계획에 대해 공감하고 격려하기
   - 계획을 잘 못 지켜서 속상하시겠어요.
   - 다음 주에는 좀 더 잘 실천할 수 있을 거예요.

3) 실천 가능한 범위와 방법을 제안하기
   - 해야 하는 일의 양이 많은 것 같은데 양을 조금 줄이면 어떨까요?
   - 계획이 좀 더 구체적이면 실행에 도움이 될 것 같아요.
   - 신체 건강에 대한 내용만 있는 것 같은데, 정신 건강에 대한 계획도 넣으면 좋겠습니다.

4. 다른 사람들의 의견과 조언을 듣고, 건강 계획을 수정해서 꾸준히 실천해 봅시다.

02

생활 속 매체

2-1 / 생활과 광고

어휘·표현 1	광고 관련 표현
듣기 1	간접 광고에 관한 대화
읽기 1	광고에 관한 설명문
문법	-는/(으)ㄴ 듯이, 은/는 말할 것도 없고

2-2 / 매체와 표현

어휘·표현 2	기사 관련 표현
읽기 2	경연 대회에 관한 신문 기사
듣기 2	신문 방송국 신입 교육 연수
문법	-(으)ㅁ으로써, -게끔

활동 뉴스 전달하기

1. 여러분은 정보를 얻을 때 주로 어떤 매체를 이용합니까?

2. 각 매체에는 어떤 특징이 있습니까?

2-1 생활과 광고

어휘와 표현 1

1. 대중 매체의 유형에 대해 알아보고, 알맞은 단어를 골라 쓰십시오.

대중 매체

인쇄 매체 / 음성 매체 / 영상 매체 / 신매체

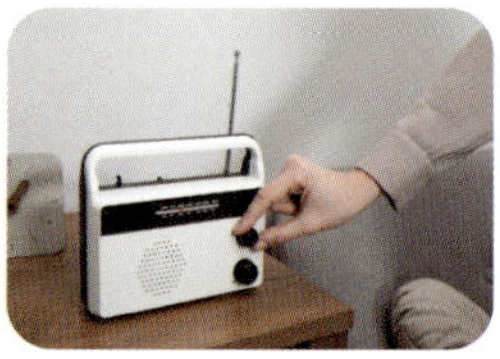

1)	2)	3)	4)

2. 광고의 유형과 목적에 대해 알아봅시다.

광고

상업 광고	공익 광고

신제품을 홍보하다 브랜드 인지도를 높이다	사람의 인식을 변화시키다 사회 문제의 심각성을 알리다

1) 다음 광고는 어떤 목적을 가지고 있는지 말해 보십시오.

① 마약, 당신을 무너뜨리는 건
단 한 번이면 충분합니다.
- 공익광고협의회

② 다양한 배경을 가진 사람들이 모여
하나의 팀이 되면,
우리는 더 큰 성취를 이룰 수 있습니다.
- 공익광고협의회

③ 더 강력하게, 더 똑똑하게 청소한다.
- Dyson

④ 평창은 하나다. 대한민국은 하나다.
- 평창 동계 올림픽 공식 후원 은행, 하나은행

2) 함께 이야기해 보십시오.

① 여러분이 본 상업 광고 중에서 기억에 남는 광고가 있습니까?
② 여러분 나라에는 어떤 공익 광고가 있습니까?
③ 대중 매체에서 자주 접하게 되는 광고에는 어떤 것들이 있습니까?

3. 광고의 문제점에 대해 알아봅시다.

부정적 광고		문제점
허위 광고 과장 광고 간접 광고	→	충동구매를 하게 되다 질 나쁜 상품을 사게 하다 소비자의 권리를 침해하다 소비자의 판단을 흐리게 하다

1) 여러분이 본 허위·과장 광고에는 어떤 것이 있습니까?
2) 사람들은 보통 어디에서 간접 광고를 접하게 됩니까?
3) 광고를 볼 때 어떤 태도를 가져야 합니까?

비판적으로 수용하다 | 상품을 비교하다 | 품질을 확인하다

듣기 1

준비하기

1. 여러분은 드라마에서 간접 광고를 본 적이 있습니까?
2. 여러분은 간접 광고를 보면 어떤 생각이 듭니까?

듣기

● 간접 광고에 관한 대화를 듣고 질문에 답하십시오. ♪ 02-1

1. 간접 광고에 대한 여자의 태도는 어떻습니까?

① 긍정적 □　　　② 부정적 □

2. 다음 표를 완성하십시오.

남자의 생각	간접 광고는 브랜드의 ______ 를 높여 준다.
	간접 광고는 드라마 ______ 의 부담을 줄인다.
여자의 생각	간접 광고는 이야기의 ______ 을 방해한다.
	간접 광고는 시청자에게 ______ 을 준다.

3. 들은 내용과 같은 것을 모두 고르십시오.

① 두 사람은 어제 같이 드라마를 봤다. □
② 어제 본 드라마에 간접 광고가 등장했다. □
③ 여자는 간접 광고가 재미없어서 짜증이 났다. □
④ 드라마에 제품이 노출되면 판매량에 영향을 끼친다. □

4. 들은 내용을 정리해서 말해 보십시오.

읽기 1

준비하기

1. 여러분은 어디에서 광고를 자주 보게 됩니까?

2. 광고는 우리에게 어떤 영향을 미친다고 생각합니까?

읽기

● 광고에 관한 글을 읽고 질문에 답하십시오.

현대 사회와 광고

가 현대 사회에서 광고는 공기와 같다. 언제 어디에서나 광고를 접할 수 있기 때문이다. 대중교통을 이용할 때, 인터넷에서 정보를 검색할 때, 매체를 통해 영상을 시청하기 전에도 우리는 광고를 접하게 된다. 이처럼 일상이 된 광고를 우리는 어떻게 받아들여야 할까?

나 먼저 광고의 뜻을 살펴보면, 광고란 기업이나 단체 등이 상품이나 서비스에 대한 정보를 여러 가지 매체를 통하여 소비자에게 알리는 활동을 의미한다. 또한 인식을 변화시키기 위해 정보를 전달하는 역할을 하기도 한다. 이처럼 광고는 사회 전반에 걸쳐 많은 영향을 미치는데 이를 긍정적인 면과 부정적인 면으로 나누어 살펴볼 수 있다.

다 첫 번째 긍정적인 기능은 광고가 경제 활성화에 도움을 준다는 것이다. 광고는 많은 소비자에게 구매 욕구를 불러일으킨다. 이러한 소비자의 수요는 제품의 대량 생산으로 이어진다. 대량 생산을 통해 기업은 경제적으로 이익을 얻게 되고 소비자는 좋은 제품을 보다 저렴한 가격에 구매하게 된다. 두 번째로 광고는 기업의 제품과 브랜드에 대한 인지도를 높인다. 반복적인 광고를 통해 소비자가 제품이나 브랜드를 오래 기억하도록 돕는다. 마지막으로 광고는 사회적인 기능도 가지고 있다. 안전 운전, 환경 보호 등을 주제로 하는 공익 광고는 사람들의 생각을 바꿔 건강한 사회를 만드는 데 기여한다.

라 그러나 광고는 부정적인 영향을 끼치기도 한다. 먼저, 지나친 광고 경쟁은 제품의 가격 상승을 일으킨다. 광고 경쟁이 심할수록 막대한 광고비가 발생하고 이는 결국 제품 가격에 포함되어 가격 상승으로 이어진다. 또한 허위·과장 광고로 인해 소비자가 피해를 입기도 한다. 이 약만 먹으면 살이 20㎏나 빠진다는 광고가 있는가 하면, 광고 속 사진과 전혀 다른 햄버거를 파는 경우도 있다. 마지막으로 광고로 인해 잘못된 가치관이 형성될 수도 있다. 광고에서는 다양한 체형을 가진 일반인이 아니라 대개 날씬하고 멋진 사람을 모델로 삼아 제품을 홍보한다. 이는 무의식적으로 '날씬한 것이 좋은 것'이라는 생각이 들게 한다. 이러한 생각은 특히 성장하는 청소년들에게 안 좋은 영향을 끼친다. 그래서 무리하게 다이어트를 시도하거나 날씬하지 않은 자신을 싫어하게 만들 수도 있다. 이것은 청소년의 신체 건강은 말할 것도 없고 정신 건강에도 부정적인 영향을 미친다.

마 따라서 우리는 광고를 접할 때 비판적으로 수용하는 태도를 가져야 한다. 대중 매체에서 전달하는 이야기를 무의식적으로 모두 받아들여서는 안 된다. 광고를 만든 이의 의도가 무엇인지 파악하고 광고 내용이 객관적인 사실에 근거하고 있는지 생각해 봐야 한다. 그리고 제품을 구입할 때는 광고에 드러난 이미지만 보고 판단하기보다는 품질을 직접 확인하는 것이 필요하다. 이러한 점들을 고려한다면 더 현명한 소비자가 될 수 있을 것이다.

1. 글쓴이가 주장하는 내용은 무엇입니까?

광고의 내용을 무조건 믿지 말고 ______________ 받아들여야 한다.

2. 다음 표를 완성하십시오.

	중심 내용
가	우리의 ______ 이 된 광고
나	광고의 ______
다	광고의 ______ 기능
라	광고의 ______ 기능
마	현명한 소비자의 ______

3. 묻고 대답하십시오.

1) 우리는 어디에서 광고를 주로 접하게 됩니까?
2) 광고로 인해 제품의 대량 생산이 이루어지면 소비자는 어떤 이익을 얻게 됩니까?
3) 공익 광고가 다루는 주제에는 어떤 것들이 있습니까?
4) 기업 간 광고 경쟁이 심해지면 어떤 부작용이 생깁니까?
5) 광고가 청소년에게 끼치는 부정적인 영향에는 어떤 것이 있습니까?

4. 다음 표현을 이용하여 읽은 내용을 정리해서 말해 보십시오.

광고의 정의	기업 상품 매체 알리다
긍정적 기능	경제 활성화 브랜드 인지도 공익
부정적 기능	가격 상승 허위·과장 잘못된 가치관
소비자의 태도	비판적 수용 품질 확인

5. 함께 이야기해 보십시오.

1) 여러분은 광고의 두 가지 측면 중 어떤 입장에 동의합니까? 왜 그렇게 생각합니까?
2) 허위·과장 광고로 인해 피해를 본 적이 있습니까?

문법

문법 1 -는/(으)ㄴ 듯이

1. 다음 문법의 의미를 생각해 봅시다.

- 유명한 배우가 입고 나오면 다음 날 그 옷이 날개 돋친 듯이 팔리잖아.
- 그는 나를 잡아먹을 듯이 사납게 쏘아보았다.
- 사장님의 한 마디에 직원들은 쥐 죽은 듯이 조용해졌다.

2. 다음과 같이 말해 봅시다.

1) 그는 알지도 못하면서 잘 아는 듯이 말합니다.

1) 그는 알지도 못하면서 잘 알다 - 말하다
2) 어머니는 사진을 보면서 즐겁다 - 웃으시다
3) 오늘 아침 하늘을 보니까 곧 비가 오다 - 흐리다
4) 독감에 걸렸는데 증세가 너무 심해서 죽다 - 아프다

3. 알맞은 것을 연결한 뒤에 말해 봅시다.

1) 물건이 날개 돋친 듯이 잘 팔려요.

1) 물건이 날개 돋친 듯이 •	• 높다
2) 그는 나를 잡아먹을 듯이 •	• 잘 팔리다
3) 가슴이 찢어질 듯이 •	• 나았다
4) 교실이 쥐 죽은 듯이 •	• 아프다
5) 건물이 하늘을 찌를 듯이 •	• 닮았다
6) 아버지와 아들이 판에 박은 듯이 •	• 조용하다
7) 이 약을 먹었더니 병이 씻은 듯이 •	• 노려봤다

4. 함께 이야기해 봅시다.

1) 언제 교실이 쥐 죽은 듯이 조용해져요?
2) 요즘 날개 돋친 듯이 팔리는 제품이 있어요?
3) 하늘을 찌를 듯이 높은 건물이 많은 도시는 어디예요?

문법 2 은/는 말할 것도 없고

1. 다음 문법의 의미를 생각해 봅시다.

- 과장 광고는 청소년들의 **신체 건강은 말할 것도 없고** 정신 건강에도 부정적인 영향을 미칠 수 있다.
- 시험이 코앞으로 다가오자 **수험생은 말할 것도 없고** 수험생 자녀를 둔 부모들 역시 스트레스를 받았다.
- 이 영화는 **젊은이들은 말할 것도 없고** 노년층에게까지 큰 인기를 끌었다.

2. 다음과 같이 말해 봅시다.

1) 그 가수는 가창력은 말할 것도 없고 작곡 능력도 뛰어나요.

1) 그 가수는 가창력이 뛰어나다 - 작곡 능력도 뛰어나다

2) 최근에 나오는 휴대폰은 성능이 좋다 - 디자인도 좋다

3) 불경기로 대기업이 신입 채용을 줄였다 - 중소기업도 신입 채용을 줄였다

4) 어제 경기는 선수들의 경기력이 떨어졌다 - 감독의 전략도 부족해서 실망스러운 경기였다

3. 다음과 같이 문장을 완성해 봅시다.

1) 이 코미디 영화는 재미는 말할 것도 없고 깊은 감동까지 줘요.

2) 그는 영어는 말할 것도 없고 ______________________.

3) 그 선생님은 인품은 말할 것도 없고 ______________________.

4) 화재가 나면 재산 피해는 말할 것도 없고 ______________________.

4. 함께 이야기해 봅시다.

1) 최근 드라마/영화/공연을 본 적이 있어요? 그 드라마/영화/공연이 어땠어요?

2) 최근에 간 장소가 어디예요? 그곳은 어떤 점이 마음에 들었어요?

3) 여러분이 알고 있는 다재다능한 사람은 누구예요? 그 사람은 무엇을 잘해요?

2-2 매체와 표현

어휘와 표현 2

1. 신문 기사와 관련된 표현을 알아봅시다.

1) 기사 제목과 관계있는 분야를 연결하십시오.

	기사 제목			분야
①	선거에서 누가 승리할까?	•	•	정치
②	유럽 곳곳 폭염 기승, 뜨거운 지구	•	•	경제
③	성북구 빌라 화재, 중학생 형제 다쳐	•	•	사회
④	올 상반기 승용차 매출 49% 증가	•	•	환경
⑤	김지훈, 한국 수영 새 역사……. 첫 결승 진출	•	•	문화
⑥	김윤아 작가, "책 속에서 제 인생을 찾았어요."	•	•	스포츠

2) 기사 제목의 의미로 적절한 것을 고르십시오.

① 작년 대비 상반기 실내복 매출 2배 '껑충'

실내복의 매출이 줄었다. ☐ 실내복의 매출이 늘었다. ☐

② 아파트 값, 전국이 '들썩'

전국의 아파트 값이 오르고 있다. ☐ 전국의 아파트 값이 그대로이다. ☐

③ 서울대공원, 어느새 가을이 '성큼'

서울대공원에 가을이 다가왔다. ☐ 서울대공원의 가을이 지나갔다. ☐

④ 지하철 고장, 출근길 시민들 발 '동동'

지하철이 고장 나서 출근하는 시민들이 추위에 떨었다. ☐

지하철이 고장 나서 출근하는 시민들이 어려움을 겪었다. ☐

⑤ 폭설에 강풍까지, 전국이 '꽁꽁'

눈이 많이 오고 바람이 세게 불어서 전국의 기온이 뚝 떨어졌다. □

눈이 많이 오고 바람이 세게 불어서 전국에 교통사고가 많이 났다. □

2. 행사 관련 기사문에서 많이 사용하는 표현을 알아봅시다.

대회를 개최하다
대회에 참가하다
사전 심사를 통과하다
→
경연을 펼치다
실력을 겨루다
경기에 임하다
열띠게 응원하다
→
심사를 하다
수상을 하다
수상 소감을 밝히다

1) 학교에서는 보통 어떤 대회를 개최합니까?
2) 여러분은 어떤 대회에 참가해 봤습니까?
3) 누구를 위해 열띠게 응원해 본 적이 있습니까?
4) 기억에 남는 수상 소감이 있습니까? 어떤 내용이었습니까?

3. 글의 종류를 나타내는 어휘를 알아봅시다.

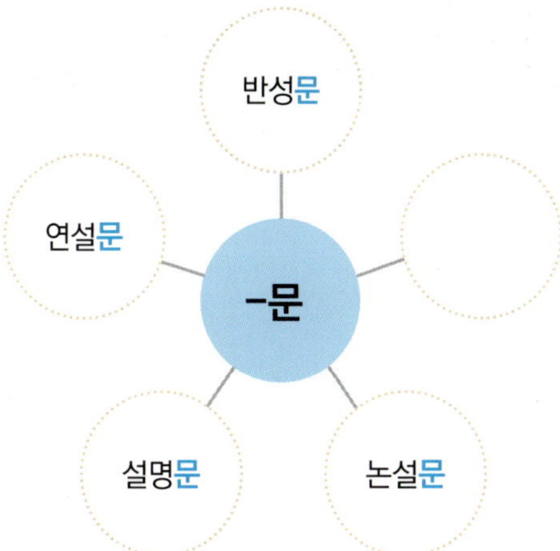

1) 우리 주변에서 자주 볼 수 있는 글에는 어떤 것들이 있습니까?
2) 논설문을 잘 쓰려면 어떻게 해야 합니까?
3) 여러분은 학창 시절에 반성문을 써 본 적이 있습니까? 왜 반성문을 썼습니까?
4) 여러분이 알고 있는 연설문 중에 기억에 남는 내용이 있습니까?

읽기 2

준비하기

1. 다음 포스터를 보면서 질문에 답하십시오.

1) 어떤 행사를 위한 포스터입니까?

2) 이 행사에는 누가 참여할 수 있습니까?

2. 여러분은 학창 시절에 어떤 행사에 참여해 봤습니까?

읽기

● 경연 대회에 관한 신문 기사를 읽고 질문에 답하십시오.

국민신문

정치 경제 사회 문화 국제 스포츠 독자 투고 신문 구독

가 **냠냠~ 맛있는 도전! 우리 학교 요리 왕을 찾아라!**

나 **볶음밥을 주제로 경연을 펼쳐, 교내 식당 메뉴 개발에 구성원이 직접 참여**

요리 실력을 겨루고 있는 참가자들

다 지난 17일(금) 국민대학교 학생과 교직원 120여 명이 모여 제1회 요리 경연 대회를 과학관 조리 실습실에서 개최했다. 이번 대회는 학교 구성원 간의 친목을 도모하고 교내 식당 메뉴 개발에 구성원이 직접 참여하기 위해 마련되었다. 이날 대회에는 사전 심사에서 통과한 여섯 개 팀(2~3인)이 참가하여 평소 숨겨둔 요리 실력을 겨루었다.

라 교직원과 학생들로 구성된 여섯 팀은 이날 누구나 만들기 쉬운 '세상에서 가장 맛있는 볶음밥'을 주제로 경연을 펼쳤다. 본격적인 요리 대회 전에 재료 획득 게임으로 재미를 더했으며, 대회가 진행되는 동안 친구와 동료들은 열띤 응원으로 팀을 격려했다. 대회 심사에는 각 구성원 대표와 교내 식당 관계자들이 참여하여 메뉴 활용성, 창의성, 맛과 모양, 위생, 협동을 기준으로 심사를 진행했다. 공정한 심사를 거쳐 1등 최우수상을 받은 팀에는 100만 원, 2등 우수상에는 70만 원, 3등 장려상에는 30만 원 상당의 상품 교환권이 수여됐다. 1등은 '건새우 된장 볶음밥'을 만든 '볶on밥' 팀에게 돌아갔다. 최우수상을 받은 손지환(식품영양·20) 씨는 "상을 받게 되어 정말 기분이 좋다. 응원해 주신 분들과 이 기쁨을 나누고 싶다."라고 수상 소감을 밝혔다.

이번 대회의 수상작은 교내 식당에서 메뉴로 활용될 예정이다. 식당 관계자는 "학생과 교직원이 메뉴 개발에 직접 참여함으로써 그들의 의견을 반영할 수 있는 기회가 됐다."라며 대회 개최 소감을 전했다.

국민대학교 신문방송사
http://press.kookmin.ac.kr

02 생활 속 매체

1. 무엇에 대해 이야기하고 있습니까?

국민대학교에서 개최한 ________ 에 대해

2. 알맞은 것을 연결하십시오.

가 •	• 본문: 사실이나 사건을 구체적으로 서술하는 부분
나 •	• 표제: 내용을 요약하여 알리는 큰 제목
다 •	• 전문: 사실이나 사건을 요약하는 부분
라 •	• 부제: 큰 제목을 보충하는 작은 제목

3. 읽은 내용과 같은 것을 모두 고르십시오.

① 국민대학교는 여행 상품 홍보를 위해 경연 대회를 개최했다. ☐
② 교직원은 요리 경연 대회에 참여할 수 없다. ☐
③ 건새우 된장 볶음밥은 교내 식당 메뉴로 추가될 것이다. ☐
④ 이번 대회에서 수상한 팀에게 장학금이 수여되었다. ☐

4. 읽은 내용을 정리해서 말해 보십시오.

듣기 2

준비하기

1. 기사를 보면서 생각해 봅시다.

국민신문

정치 경제 사회 문화 국제 스포츠 독자 투고 신문 구독

"어제 사 간 치킨을 매장에 가지고 와서 치킨이 식었으니까 다시 튀겨 달라고 하는 손님, 이게 맞나요?"

국민신문

정치 경제 사회 문화 국제 스포츠 독자 투고 신문 구독

"어제 사 간 치킨 다시 튀겨 달라는 손님, 이게 맞나요?"

1) 여러분은 어떤 제목이 더 적합하다고 생각합니까? 왜 그렇게 생각합니까?

2) 제목을 지을 때 어떤 것을 고려해야 한다고 생각합니까?

듣기

● 신입 교육 연수 내용을 듣고 질문에 답하십시오. 02-2

1. 무엇에 대해 이야기하고 있습니까?

__________를 잘 쓰는 방법

2. 질문과 알맞은 답을 연결하십시오.

① 제목을 어떻게 써야 해요? •	• 육하원칙의 내용에 따라 작성한다.
② 표제에 쓸 내용이 많으면 어떻게 해요? •	• 부제를 활용한다.
③ 전문은 어떻게 써야 해요? •	• 핵심 내용을 짧고 간결하게 쓴다.

3. 묻고 대답하십시오.

1) 표제에 따옴표를 사용하는 이유는 무엇입니까?
2) 부제는 어떻게 쓰는 게 좋습니까?
3) 전문은 무엇입니까?
4) 육하원칙에는 어떤 것들이 포함됩니까?

4. 다음 표현을 이용하여 들은 내용을 정리해서 말해 보십시오.

기사 제목	표제 핵심 부제 보충
기사 전문	본문 요약 육하원칙

5. 함께 이야기해 보십시오.

1) 여러분 나라에서는 신문 기사를 어떻게 작성합니까? 꼭 써야 하는 내용이 있습니까?
2) 최근 기사를 찾아서 육하원칙에 따라 설명해 봅시다.

전달력 향상하기

발음에 주의하면서 읽어 보십시오.

1) 따옴표를 사용해서 쓴 것도 많더라고요.

2) 재미있고 독특한 표현을 사용하는 것도 좋습니다.

3) 인터뷰한 사람의 말을 직접 인용해서 쓰기도 합니다.

문법 3 -(으)ㅁ으로써

1. 다음 문법의 의미를 생각해 봅시다.

- 학생과 교직원이 메뉴 개발에 **참여함으로써** 의견을 반영할 수 있는 기회가 됐다.
- 그는 주어진 일에 최선을 **다함으로써** 주변 사람들에게 좋은 평가를 받았다.
- 그녀는 뛰어난 **노래 실력으로써** 세계를 놀라게 했다.

2. 다음과 같이 말해 봅시다.

1) 경찰이 범인을 잡음으로써 사건이 해결되었습니다.

1) 경찰이 범인을 잡았다 - 사건이 해결되었다
2) 인솔자의 안내를 따르지 않았다 – 심각한 안전 문제가 발생했다
3) 통신 기술이 발달했다 – 먼 곳에 있는 사람들과도 소통이 쉬워졌다
4) 그 가수는 가죽으로 만든 옷을 입지 않았다 – 동물 보호를 실천하고 있다

3. 함께 이야기해 봅시다.

1) 환경을 보호하기 위해서 어떤 노력을 해야 합니까?

개인은 일회용품 사용을 줄임으로써 환경을 보호할 수 있습니다.

개인의 노력	국가의 노력
- 일회용품 사용을 줄이다	-
-	-
-	-

2) 더불어 사는 사회를 만들기 위해서 어떤 노력을 해야 합니까?

개인의 노력	국가의 노력
- 자원봉사를 하다	-
-	-
-	-

문법 4 -게끔

1. 다음 문법의 의미를 생각해 봅시다.

- 기사의 핵심 내용을 강하게 **전달할 수 있게끔** 문장을 짧게 정리하는 것이 좋습니다.
- 어머니는 아이가 한입에 **먹을 수 있게끔** 과일을 작게 잘라 주었다.
- 승규는 뒤에서도 **들리게끔** 큰 소리로 이야기했다.

2. 알맞은 것을 연결한 뒤에 말해 봅시다.

1) 구급차가 지나갈 수 있게끔 자동차들이 길을 비켜 주었습니다.

1) 구급차가 지나갈 수 있다 •	• 옷을 더 입었다
2) 감기가 빨리 낫다 •	• 큰 소리로 말했다
3) 체온이 떨어지지 않다 •	• 따뜻한 차를 자주 마셨다
4) 모두가 들을 수 있다 •	• 자동차들이 길을 비켜 주었다

3. 다음과 같이 문장을 완성해 봅시다.

1) 선생님은 학생들이 이해할 수 있게끔 쉽게 설명해 주셨어요.

2) 옆 사람이 지나갈 수 있게끔 ________________.

3) 모든 사람이 먹게끔 ________________.

4) ________________ 법을 마련했어요.

5) ________________ PPT 자료를 준비했습니다.

4. 함께 이야기해 봅시다.

1) 손님을 대접할 때 무엇을 고려해야 할까요?
2) 식중독에 걸리지 않으려면 어떻게 해야 할까요?
3) 대중 앞에서 발표를 할 때 어떤 점을 신경 써야 할까요?

활동 뉴스 전달하기

준비하기

1. 안내문을 읽고, 육하원칙에 맞게 정리해 봅시다.

◇ 누가:

◇ 언제:

◇ 어디서:

◇ 무엇을:

◇ 어떻게:

◇ 왜:

2. 위의 안내문을 읽고, 신문 기사를 완성해 봅시다.

국민신문

정치 경제 사회 문화 국제 스포츠 독자 투고 신문 구독

국민대, 유학생을 위한 ① '알록달록' 제8회 가을 축제 ②____________

총장님과의 만남, 노래 경연 대회 등 다채로운 프로그램 ③____________

국민대학교 국제교육원 한국어교육센터는 오는 10월 12일부터 13일까지 제8회 유학생을 위한 가을 문화 축제를 개최한다. 이번 축제는 유학생들을 위한 특별한 행사로, 총장님과의 만남, 노래 경연 대회 등 다양한 프로그램이 준비되어 있다.

이번 축제의 주요 프로그램 중 하나는 총장님과의 만남이다. 이 행사는 10월 12일 오후 3시부터 글로벌센터 1층에서 진행되며, 총장님이 직접 유학생들에게 음료수와 간식을 나눠 주는 특별한 시간을 가질 예정이다. 다만, 선착순 500명까지만 참여할 수 있어 관심 있는 유학생들의 ④_____________ 참여가 요구된다. 또한, 한국어교육센터는 유학생들을 대상으로 노래 실력을 선보일 수 있는 'K-pop' 노래 경연 대회를 진행한다. 이 대회는 유학생들이 한국에서 생활하는 동안 쌓은 노래 실력을 발휘하며 서로 교류할 수 있는 기회가 될 것으로 기대된다.

국제교육원 한국어교육센터 관계자는 "이번 축제가 유학생들에게 소중한 추억이 되고 즐거운 시간이 되기를 바란다."⑤_____________. 행사와 관련된 자세한 사항은 국제교육원 홈페이지 게시판에서 확인할 수 있다.

이지영 기자
jiyoung21@kookminuniv.ac.kr

활동하기

1. 관심 있는 행사 소식을 찾아봅시다.

2. 그 행사를 소개하는 기사를 준비해 봅시다.

표제	
부제	
전문	
본문	• 누가: • 언제: • 어디서: • 무엇을: • 어떻게: • 왜:
기자 이름 및 메일 주소	

3. 뉴스 대본을 만들고, 앵커처럼 뉴스를 전달해 봅시다.

카메라 ON, 앵커 인사

안녕하십니까? 국민대 소식입니다.

국민대학교 국제교육원이 유학생들을 위한 특별한 축제를 마련했습니다. 제8회 유학생을 위한 가을 문화 축제가 오는 10월 12일부터 13일까지 이틀간 열립니다. 이번 축제는 유학생들에게 즐거운 추억을 선사하기 위해 다양한 프로그램으로 꾸며졌는데요.

가장 주목할 만한 행사는 총장님과의 만남입니다. 10월 12일 오후 3시부터 글로벌센터 1층에서 진행되며, 총장님이 직접 유학생들에게 음료수와 간식을 나눠 주신다고 합니다. 다만, 이 행사는 선착순 500명까지만 참여할 수 있으니 서둘러야겠죠.

또 하나의 하이라이트는 '진짜 가수는 누구인가' 노래 경연 대회입니다. 유학생들이 무대 위에서 자신의 끼와 열정을 마음껏 발휘할 수 있는 시간이 될 텐데요. 즐겁고 활기찬 축제 분위기를 더할 것으로 기대됩니다. 국제교육원 관계자는 "이번 축제가 유학생들에게 즐겁고 특별한 시간이 되길 바란다."라고 말했습니다.

행사와 관련된 자세한 정보는 국민대학교 국제교육원 홈페이지를 통해 확인하실 수 있습니다. 지금까지 국민대 소식이었습니다.

앵커 미소 지으며 마무리 인사

※ 뉴스를 전달할 때 주의 사항

- 정확한 발음으로 읽어 주십시오.
- 의미에 맞게 끊어 읽어 주십시오.
- 억양을 주의하며 읽어 주십시오.

03

언어와 생활

3-1 / 소통하는 언어

어휘·표현 1	언어 관련 표현
듣기 1	비언어적 표현에 관한 뉴스
읽기 1	거절에 관한 에세이와 자기 계발서
문법	-는 둥 마는 둥 하다, -기 나름이다

3-2 / 변화하는 언어

어휘·표현 2	언어 변화 관련 표현
읽기 2	신조어 사용에 관한 웹툰
듣기 2	신조어 형성 방식에 관한 인터넷 강의
문법	-는/(으)ㄴ 이상, -(으)ㄹ뿐더러

활동 발표문 작성하기

사용한 휴지, ✖ 쓰레기통에 버리지 마!

1 **여성 용품**은 위생용품 수거함에 넣으십시오.

2 **변기가 막히면 손해 배상을 청구하겠습니다.**

3 **휴지를** 많이 사용하지 마십시오.

사용한 휴지는 변기에 버려 주실래요?

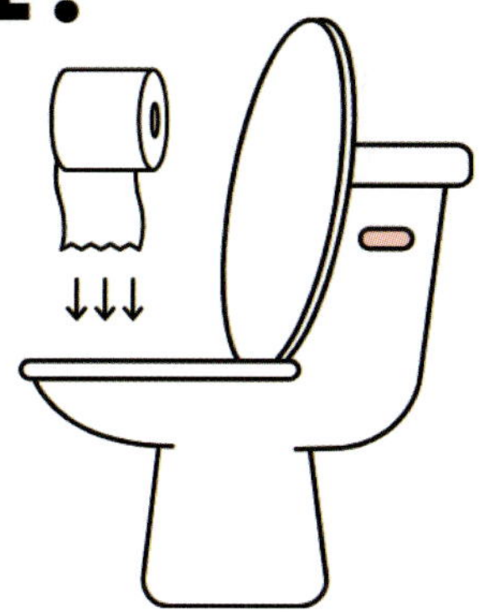

1 여성 용품은 위생용품 수거함에 넣어 주세요.

2 불편하시겠지만 일반 쓰레기는 밖에 있는
쓰레기통에 버려 주세요.

3 비치된 휴지를 적당량 사용해 주세요.

당신은 1등 문화 시민의 자격이 있습니다!

1. 여러분은 어떤 안내문이 더 마음에 듭니까? 왜 그렇게 생각합니까?

2. 다른 사람과 소통할 때 주의할 점은 무엇이라고 생각합니까?

3-1 소통하는 언어

어휘와 표현 1

1. 말과 관련된 어휘를 알아봅시다.

귓속말 혼잣말 바른말 막말 군말 빈말	말실수 말대꾸 말다툼 말동무 말버릇 말주변 말씨 말수

1) 〈보기〉에서 알맞은 단어를 골라 쓰십시오.

보기	빈말	막말	군말	귓속말	혼잣말	바른말

① 두 사람은 비밀 이야기라도 나누는지 서로 ____________을 주고받았다.

② 언제나 내 편이 되겠다는 친구의 말은 절대 ____________이 아니었다.

③ 익명성이 보장되는 인터넷에서는 많은 욕설과 __________이 오가곤 한다.

④ 내 여자 친구는 옳다고 생각하면 용기 있게 __________을 하는 사람이다.

⑤ 나는 TV를 볼 때 듣는 사람이 없어도 ____________을 하는 습관이 있다.

⑥ 그녀는 성실해서 주어진 일에 ________________ 없이 최선을 다한다.

2) 함께 이야기해 보십시오.

① 여러분은 말수가 적은 편입니까? 많은 편입니까?

② 말실수를 한 적이 있습니까? 누구에게 어떤 말실수를 했습니까?

③ 부모님께 말대꾸를 자주 합니까? 말대꾸를 하면 뭐라고 하십니까?

④ 주변에 특이한 말버릇을 가지고 있는 사람이 있습니까? 어떤 말버릇이 있습니까?

⑤ 우리 반 친구 중에서 누가 가장 예쁜 말씨를 가지고 있는 것 같습니까? 왜 그렇게 생각합니까?

2. 거짓말과 관련된 표현을 알아봅시다.

1) 알맞은 것을 연결하십시오.

① 뻔한 거짓말	•	• 사실인 것 같은 거짓말
② 선의의 거짓말	•	• 좋은 의도를 가지고 하는 거짓말
③ 그럴듯한 거짓말	•	• 절대 일어날 수 없는, 말도 안 되는 거짓말
④ 새빨간 거짓말	•	• 깊이 생각하지 않아도 거짓이라는 것이 금방 드러나는 거짓말

2) 함께 이야기해 보십시오.

① 여러분은 선의의 거짓말이 필요하다고 생각합니까?
② 그럴듯한 거짓말에 속아 넘어간 적이 있습니까?
③ 새빨간 거짓말을 하는 사람을 보면 어떤 생각이 듭니까?

3. 부탁/거절과 관련된 표현을 알아봅시다.

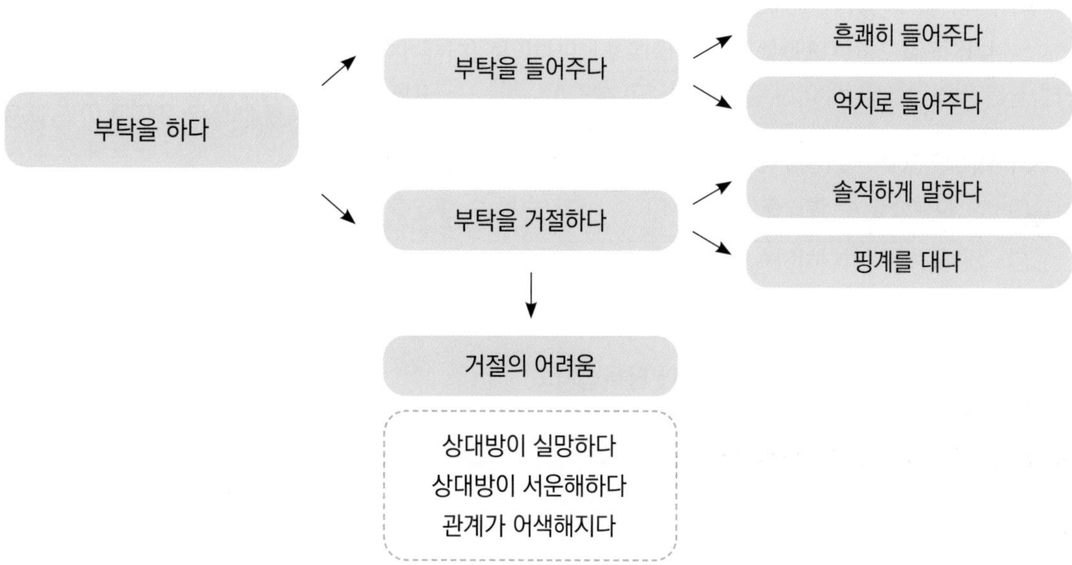

1) 여러분은 누군가의 부탁을 억지로 들어준 적이 있습니까?
2) 부탁을 거절할 때 어떤 방식을 주로 사용하는 편입니까?
3) 다른 사람의 부탁을 거절하기 어려운 이유는 무엇입니까?
4) 부탁을 들어주지 않아서 관계가 어색해진 경우가 있습니까?

듣기 1

준비하기

1. 조사 결과를 보면서 질문에 답하십시오.

1) 한국 사람들이 제일 많이 하는 거짓말은 무엇입니까?
2) 여러분이 가장 공감하는 거짓말은 무엇입니까? 왜 그렇게 생각합니까?

2. 사람들은 거짓말을 할 때 어떤 행동을 한다고 생각합니까?

3. 여러분은 다른 사람이 거짓말을 할 때 잘 알아차리는 편입니까?

듣기

● 비언어적 표현에 관한 뉴스를 듣고 질문에 답하십시오. 03-1

1. 무엇에 대해 이야기하고 있습니까?

(   )을 할 때 자주 나타나는 행동

2. 들은 내용을 바탕으로 거짓말을 <u>하지 않는</u> 사람이 누구인지 고르십시오.

① 

② 

③ 

④ 

3. 들은 내용과 같은 것을 모두 고르십시오.

① 행동을 통해 심리를 파악하는 것은 불가능하다. ☐

② 거짓말을 하면 혈압을 상승시키는 물질이 분비된다. ☐

③ 무의식적으로 손톱을 뜯는 행동은 긴장 상태를 보여 주는 것이다. ☐

④ 귀를 만지는 행동은 집중해서 이야기를 듣고 있다는 것을 의미한다. ☐

4. 들은 내용을 정리해서 말해 보십시오.

읽기 1

준비하기

● 라디오 사연을 듣고 질문에 답하십시오. ♪ 03-2

1. 사연자는 어떤 고민이 있습니까?
2. 사연자는 무엇을 알고 싶어 합니까?
3. 진행자가 소개한 책 제목은 무엇입니까?

읽기 1-1

● 거절에 관한 에세이를 읽고 질문에 답하십시오.

거절해도 괜찮아

오래 알고 지낸 친구가 나에게 돈을 좀 빌려줄 수 있는지 도움을 청해 왔다. 그런데 아직 아르바이트비를 받지 못해 내 생활비도 부족한 상황이었다. 안 될 것 같다고 메시지를 보내려는 순간, '친구가 나에게 실망하면 어떡하지?'라는 걱정이 들기 시작했다. 이런 걱정이 점점 커져서 어쩔 수 없이 얼마 남지 않은 생활비의 일부를 친구에게 빌려주고 말았다. 남은 생활비를 아껴 쓰면 될 거라고 생각했는데 예상하지 못한 일이 생겨 버렸다. 요리를 하다가 손을 다쳐서 아르바이트를 못 하게 된 것이다. 이번 달에는 부모님 생신도 있고, 한국어 시험도 신청해야 하는데……. 무리한 부탁인 걸 알면서도 거절하지 못하고 돈을 빌려준 것이 후회스러웠다.

그런데 이런 내 사정을 아는지 모르는지 빌려 간 돈을 한 달만 늦게 갚아도 되냐고 그 친구에게 연락이 왔다. 나는 한참을 망설이다가 안 될 것 같다고 메시지를 보냈다.

> 나도 지금 여유가 없어서 안 될 것 같은데, 어쩌지? 부탁을 거절해서 미안해.

거절의 메시지를 보내고 나서 '친구가 나한테 서운해하면 어쩌지. 친구하고 어색해지면 어쩌지.'라는 걱정이 밀려왔다. 괜히 거절한 건 아닐까 후회하고 있을 때 친구에게 답장이 왔다.

> 괜찮아. 거절할 수도 있지. 솔직하게 말해 줘서 고마워. 다른 방법을 알아볼게.^^

이게 뭐지? 거절해도 괜찮다고? 오히려 솔직하게 말해 줘서 고맙다고? 그때, 난 깨달았다. 무조건 부탁을 들어준다고 착한 사람이 되는 것도, 반대로 거절한다고 나쁜 사람이 되는 것도 아니라는 것을. 거절해도 괜찮다는 것을.

1. 다음 표를 완성하십시오.

친구의 부탁	나의 선택	
(　　　　　)을 빌려달라고 함.	부탁을 들어줬다 □	거절했다 □
빌린 돈을 (　　　　　　　　　) 되냐고 함.	부탁을 들어줬다 □	거절했다 □

2. 글쓴이가 친구의 부탁을 거절한 이유는 무엇입니까?

3. 읽은 내용과 같은 것을 모두 고르십시오.

① 글쓴이는 최근 경제적으로 여유가 생겼다. □

② 글쓴이는 친구에게 돈을 빌려주고서 후회했다. □

③ 글쓴이는 친구의 부탁을 거절해서 친구와 관계가 어색해졌다. □

읽기 1-2

● 거절의 기술에 관한 책을 읽고 질문에 답하십시오.

'아' 해 다르고 '어' 해 다르다는 말이 있듯이 어떤 말로 거절하느냐에 따라 관계는 달라질 수 있다. 거절의 기술을 알아보자.

1. 시간 확보하기

부탁을 들어주거나 거절하기 전에 나에게 발생할 일에 대해 객관적으로 생각할 시간을 갖는 것이 필요하다. 거절할 수밖에 없는 이유와 거절 방식을 충분히 고민한 다음에 대답을 해도 늦지 않다. 부탁을 들어주는 것은 내 선택이다. 이때 주의할 것은 회신을 할 날짜를 명확하게 알려 줘야 한다는 것이다.

예) 생각할 시간을 좀 주시겠어요? 주말까지 결정해서 연락 드리겠습니다.

2. 이해하는 감정 나타내기

상대방의 상황을 이해한다는 표현만 해 줘도 기분이 상하지 않게 거절할 수 있다. 수락할 수 없다면 거절해야겠지만 이때도 상대의 감정을 이해하고 인정하면서 거절하는 것이 중요하다.

예) 얼마나 고민이 되세요? 그 마음 저도 잘 이해합니다. 그런데 제가 도와드리기는 어려울 것 같습니다.

새로운 일의 제안을 거절하는 경우에도 감정을 표현하는 것이 필요하다. 이런 일에 나를 떠올려 주어 감사하다는 표현을 한 다음, 그 제안을 거절하는 것이 좋다.

예) 제안해 주셔서 감사합니다. 그렇지만 그 일정에는 제가 해야 할 일들이 많습니다.

3. 구체적으로 이유 설명하기

거절해야 한다면 '시간이 없어서, 여유가 없어서'와 같이 간단하게 이유를 설명하는 것보다 되도록 구체적이고 상세하게 설명하는 것이 필요하다.

예) 죄송하지만 그날은 현재 하고 있는 프로젝트를 마무리해야 해서 시간을 내기 어렵습니다.

이때 유의할 점! 거절할 때는 남의 탓을 하지 않는 것이 중요하다. 예를 들어 '가족 때문에 안 될 것 같아.'보다는 '오늘은 가족과 시간을 보내고 싶어.'와 같이 '나'의 상황을 상대에게 솔직하고 구체적으로 말하는 것이 좋다. 다른 사람 핑계를 대는 것은 좋은 관계를 유지하는 데 도움이 되지 않는다.

거절한다고 해서 좋았던 관계가 끊어지는 것도 아니고 부탁을 들어준다고 해서 언제나 좋은 관계를 유지할 수 있는 것도 아니다. 거절도 자기 하기 나름이다. 어떻게 거절하느냐에 따라 관계는 달라질 수 있다. 거절의 기술을 잘 익혀 상황에 맞게 쓸 수 있도록 하자.

1. 이 글을 쓴 목적을 고르십시오.

① 거절의 필요성에 대해 주장하기 위해서 ☐

② 거절의 기술에 관한 정보를 전달하기 위해서 ☐

③ 거절을 못하는 사람의 특징을 알아보기 위해서 ☐

2. 거절 방식을 쓰고 알맞은 거절 표현을 연결하십시오.

1) 시간 ______	• •	그때 고향에 계신 부모님께서 우리 집에 와 계시기로 했거든. 그래서 같이 지내는 건 어려울 것 같아.
2) 이해하는 ______ 나타내기	• •	지금 당장 대답하기는 어려울 것 같은데 생각해 보고 내일 다시 연락해도 될까?
3) 구체적으로 ______ 설명하기	• •	갑자기 방을 구해야 해서 많이 놀랐겠다. 그런데 우리 집에서 지내는 건 힘들 것 같아.

3. 묻고 대답하십시오.

1) 생각할 시간이 필요해서 거절하는 말을 할 때 무엇에 유의해야 합니까?
2) 새로운 일을 함께하자는 제안을 거절할 때 어떻게 하는 게 좋습니까?
3) 구체적으로 이유를 설명하면서 거절할 때 유의할 점은 무엇입니까?
4) 거절은 인간관계에 어떤 영향을 줍니까?

4. 다음 표현을 이용하여 읽은 내용을 정리해서 말해 보십시오.

거절의 기술 1	시간을 확보하다	고민하다	시간을 갖다
거절의 기술 2	감정을 이해하다	인정하다	표현하다
거절의 기술 3	이유를 설명하다	구체적	상세하다

5. 함께 이야기해 보십시오.

1) 다음 상황에서 여러분은 어떤 거절의 기술을 사용하겠습니까?

거절하기 어려운 부탁	거절의 기술 사용하기
방학 때 고향에 잠시 다녀올 동안 우리 강아지를 좀 돌봐 줄 수 있어?	

2) 거절하기 어려운 부탁을 받은 적이 있습니까? 적절한 기술을 사용해서 거절해 보십시오.

거절하기 어려운 부탁	거절의 기술 사용하기

문법

문법 1 -는 둥 마는 둥 하다

1. 다음 문법의 의미를 생각해 봅시다.

- 이야기가 재미없어서 이야기를 **듣는 둥 마는 둥 하고** 있다.
- 잠이 덜 깬 상태라서 아침밥을 **먹는 둥 마는 둥 했다.**
- 사장님은 급하게 회의에 가느라 인사를 **받는 둥 마는 둥 하며** 지나갔다.

2. 다음과 같이 대화를 완성해 봅시다.

1) 가: 영화가 재미없어요? (영화를 보다)
   나: 사실 제가 이 영화를 봤거든요. 그래서 영화를 보는 둥 마는 둥 했어요.
2) 가: 시험은 잘 봤어요? (공부를 하다)
   나: 아르바이트 때문에 ______________ 성적이 안 좋게 나왔어요.
3) 가: 수미 씨는 맞벌이를 하니까 남편도 집안일을 많이 하겠어요. (일을 하다)
   나: 억지로 하기는 하는데 ______________ 제가 다시 해야 해요.
4) 가: 엄마, 잘 먹었습니다. (씹다)
   나: 벌써? 천천히 먹어야지. 그렇게 ______________ 소화가 안 되잖아.
5) 가: 아까 식당에서 우리가 먹은 것보다 돈을 더 낸 것 같아. (보다)
   나: 돈을 내기 전에 꼼꼼하게 확인했어야지. 영수증을 ______________ 그렇잖아.

3. 다음은 바트 씨의 일기입니다. 글을 완성해 봅시다.

오늘의 일기

날짜: 20XX. MM. DD.

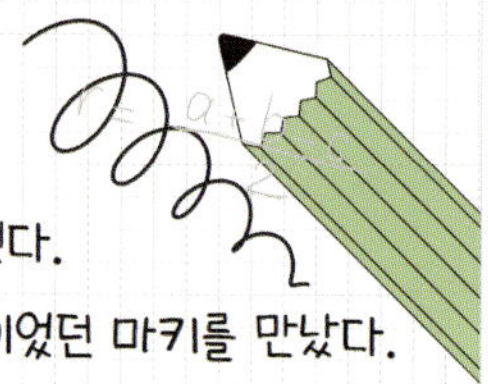

오늘은 대학 합격자 발표날이다. 걱정이 되어서 어젯밤에 잠도 1)______________.
그래서인지 아침에 입맛이 없어서 밥을 2)______________ 학교에 갔다.
오늘은 중요한 문법을 공부한다고 선생님께서 말씀하셨는데도 설명하시는 내용에 집중이 안 됐다.
수업도 3)______________ 교실을 나왔다. 수업을 마치고 복도에서 4급 때 같은 반이었던 마키를 만났다.
마키가 반갑게 인사를 하는데도 초조해서 인사를 4)______________.
오후 1시쯤 휴대폰으로 합격 여부를 알려 준다고 했는데 1시가 넘어도 휴대폰이 울리지 않았다.
너무 초조했다. 15분쯤 지났을 때 "딩동! 축하합니다. 지원하신 경영학 전공에 합격하셨습니다."
정말 뛸 듯이 기뻤다. 그동안의 걱정이 눈 녹듯이 사라지고 나니 이제서야 졸리고 배가 고팠다.
그동안 고생한 나를 위해 비싸고 맛있는 식사를 준비해서 먹어야겠다.

문법 2 -기 나름이다

1. 다음 문법의 의미를 생각해 봅시다.

- 거절도 자기 **하기 나름이다.**
- 불행과 행복은 **생각하기 나름이다.**
- 아이의 습관 형성은 부모가 **교육하기 나름이라는** 생각이 든다.

2. 알맞은 것을 골라 말해 봅시다.

보기	꾸미다	공부하다	✔생각하다	사용하다	노력하다

1) 가: 결혼을 하는 게 좋은 것 같아? 안 하고 혼자 사는 게 좋은 것 같아?
   나: 난 그건 생각하기 나름이라고 봐. 안 하면 외롭고, 하면 챙겨야 할 게 많고.
2) 가: 이 청소기는 얼마나 오래 쓸 수 있어요?
   나: 손님, 평균 10년 정도인데 자주 사용하면 짧아질 수도 있어요. ______________.
3) 가: 집이 좁다고 생각했는데 이렇게 해 놓으니 넓어 보이네요.
   나: 좁은 집이라도 ______________.
4) 가: 선생님, 제가 이번 한국어 시험을 잘 볼 수 있을까요?
   나: ______________. 매일 성실하게 공부한다면 좋은 결과가 있을 거야.
5) 가: 김민수 선수가 사고 이후 재활에 성공할 수 있을까요?
   나: ______________ 생각이 들어요. 포기하지 않고 노력한다면 가능할 거라고 봐요.

3. 함께 이야기해 봅시다.

1)

한국 사람처럼 말을 잘하려면 시간이 얼마나 걸릴까요?

공부하기 나름이에요.
예습, 복습을 철저히 하고 다양한 기회를 통해 연습을 한다면 금방 실력이 늘 거예요.

2) 한국에서 생활하려면 생활비가 얼마나 들까요?
3) 건강을 유지하기 위해서는 어떻게 하는 게 좋을까요?
4) '사랑'에 대해서 사람마다 정의하는 게 다른 것 같아요. 사랑이 뭐라고 생각해요?

3-2 변화하는 언어

어휘와 표현 2

1. 단어 유형에 대해 알아봅시다.

신조어　관용어　외래어　비속어　의성어　의태어　유의어　반의어

1) 알맞은 단어를 골라 쓰십시오.

눈이 높다 발이 넓다 코가 납작해지다	혼밥 금수저 노잼	스마트폰 커피 버스
①	②	③
살금살금 벌컥벌컥 흔들흔들	좋아하다 - 호감이 있다 얇다 - 가늘다 다르다 - 차이가 있다	좋아하다 ↔ 싫어하다 얇다 ↔ 두껍다 같다 ↔ 다르다
④	⑤	⑥

2) 함께 이야기해 보십시오.

① 여러분이 알고 있는 관용어에는 무엇이 있습니까?

② 요즘 새롭게 알게 된 신조어가 있습니까?

③ 여러분 나라에서 많이 사용하는 외래어에는 어떤 것이 있습니까?

④ 여러분 나라의 동물 소리를 나타내는 의성어는 한국과 어떻게 다릅니까?

2. 언어 사용 및 소통과 관련된 표현을 알아봅시다.

표현	소통
표현이 풍부하다 표현이 단조롭다 과장되게 표현하다 간결하게 표현하다	소통이 잘 되다 소통이 안 되다 소통이 원활하다 소통이 단절되다

사용	의미
적당히 사용하다 무분별하게 사용하다 상황에 맞게 사용하다 습관적으로(무의식적으로) 사용하다	의미를 전달하다 의미를 짐작하다 의미를 잘못 해석하다 의미를 제대로 이해하다

1) 여러분은 감정 표현이 풍부한 편입니까?
2) 여러분은 부모님과 소통이 잘 되는 편입니까?
3) 여러분에게는 습관적으로 사용하는 말버릇이 있습니까?
4) 한국어로 대화하면서 의미를 잘못 해석한 적이 있습니까?

3. 알맞은 것을 연결하십시오.

1) 의미 확대 •　　• **팩폭:** '팩트 폭격'을 줄여서 씀.

2) 의미 축소 •　　• **레알:** 영어 'real'을 받아들여서 사용함.

3) 의미 변화 •　　• **식구:** '입'이라는 의미에서 '가족'이라는 의미로 바뀜.

4) 단어 차용 •　　• **미인:** 예전에는 남자와 여자 모두에게 쓰였는데 지금은 여자에게만 쓰임.

5) 단어 축약 •　　• **손 :** '신체의 일부분'이라는 의미뿐만 아니라 '노동력'이라는 의미도 갖게 됨.

읽기 2

준비하기

1. 설문 조사 결과를 보면서 질문에 답하십시오.

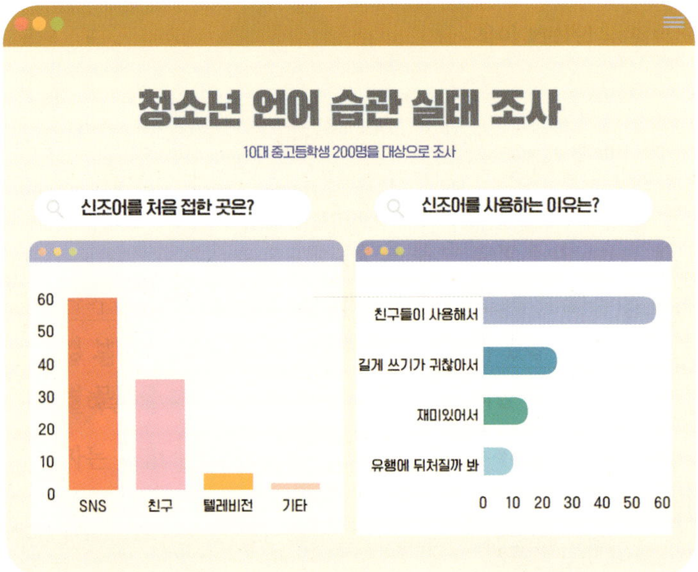

1) 10대 청소년이 처음 신조어를 접한 곳은 어디입니까?

2) 10대 청소년이 신조어를 사용하는 이유는 무엇입니까?

2. 여러분은 신조어를 많이 사용하는 편입니까?

읽기

● **신조어에 관한 웹툰을 읽고 질문에 답하십시오.**

학생 식당? 학생 식당이 왜 '학식'이야?
'학'생 '식'당을 줄여서 '학식'이라고 하거든.
① 그렇게 말하면 내가 어떻게 알아? 그럼 '스카'는 뭐야? 밥 먹고 '스카'에서 공부하자고 하던데?
② ㅎㅎ 이번에는 무슨 뜻인지 한번 맞혀 봐.
③ 뭔가 줄인 말인 것 같은데. 음, 스카이 카페? 스시 카페?
① 땡! 스터디 카페!!!
② 헉! 그런 뜻이라니! 근데 이렇게 줄여서 말하니까 무슨 뜻인지 하나도 모르겠다.
③ 재미있지 않아? 요즘 이렇게 줄여서 쓰는 말들이 유행이야. '완내스'야.
'완내스'는 또 무슨 말이야?
완전 내 스타일이라는 뜻이야. 난 이렇게 신조어를 쓰는 게 재미있어. 친근감이 들어서 좋고.
그것도 어느 정도 의미가 짐작되어야 재미있지. 난 윤아 메시지 보고 무슨 뜻인지 전혀 알아듣지 못했거든. 이렇게 이해를 못 해서 소통이 안 되거나 오해가 생기는 건 문제라고 생각해.
① 그런데 너도 알다시피 언어는 예전부터 계속 변화해 왔잖아. 100년 전에 사용하던 단어가 지금은 사라지고 새 단어가 생긴 것처럼 요즘 우리가 쓰는 신조어도 변화하는 언어 현상 중 하나라고 볼 수 있지 않을까?
② 그리고 SNS에서는 정보를 짧고 집약적으로 표현해야 하니까 그때는 줄여서 쓰는 신조어가 유용한 것 같아. SNS가 유행하는 이상 신조어는 계속 새로 만들어지고 사용될걸.

1. 신조어에 대한 두 사람의 태도는 어떻습니까?

대상	태도	이유
마키	찬성 □ 반대 □	신조어 사용은 ( ) 에 어려움을 줄 수 있다.
지훈	찬성 □ 반대 □	신조어는 ( ) 는 언어 현상 중 하나이다.

2. 다음 표를 완성하십시오.

신조어	신조어의 뜻
학식	
스카	
완내스	

3. 읽은 내용과 같은 것을 모두 고르십시오.

① 마키는 윤아의 메시지 내용을 이해하지 못했다. □

② 신조어 사용은 세대 간 소통에 도움이 된다. □

③ 줄임말은 집약적으로 정보를 전달할 때 유용하다. □

④ SNS는 전 연령대에서 폭넓게 사용되는 편이다. □

4. 읽은 내용을 정리해서 말해 보십시오.

듣기 2

준비하기

● 다음 시험 문제를 풀어 보고, 질문에 답하십시오.

(제 1교시) **신조어 탐구 영역**

1. '마음의 상처'를 줄여 부르는 신조어는 무엇인가? [10점]
   ① 문상　　② 마상

2. 무리에 잘 속하고, 잘 어울리는 사람을 뜻하는 신조어는 무엇인가? [20점]
   ① 인싸　　② 아싸

3. 한 주가 시작될 때 피곤함을 느끼는 증상을 나타내는 신조어는 무엇인가? [20점]
   ① 월요병　　② 일요병

4. 호텔에서 바캉스를 보내는 휴가 방식을 이르는 신조어는 무엇인가? [20점]
   ① 혼코노　　② 호캉스

5. 연기를 매우 못한다는 의미를 나타낼 때 사용하는 신조어는 무엇인가? [20점]
   ① 발연기　　② 명연기

6. 부자의 집안에서 태어난 자를 부르는 신조어는 무엇인가? [10점]
   ① 흙수저　　② 금수저

1. 여러분의 점수는 몇 점입니까?
2. 우리 반 학생 중에서 누가 신조어를 가장 많이 알고 있습니까?

듣기

● 신조어에 관한 인터넷 강의를 듣고 질문에 답하십시오. ♪ 03-3

1. 강의를 듣고 알 수 있는 내용을 모두 고르십시오.

① 신조어의 특징 ☐

② 신조어의 문제점 ☐

③ 신조어 형성 방법 ☐

④ 세계의 다양한 신조어 ☐

2. 강의 내용을 노트에 정리해 보십시오.

1) 신조어의 정의: 새로 만들어진 단어 중에서 아직 ______ 에 실리지 않은 말

2) 신조어의 특징

① ______ ② ______ ③ ______

3) 신조어 형성 방법

① ______ : 마상

② ______ : 발연기(발+연기), 워킹맘(working+mom)

③ ______ : 댕댕이

3. 묻고 대답하십시오.

1) 신조어의 사전적 정의와 언어학적 정의는 무엇입니까?

2) 신조어가 소속감을 강화하는 기능을 하는 이유는 무엇입니까?

3) 한국인들이 가장 선호하는 신조어 형성 방식은 무엇이며 어떤 예가 있습니까?

4) '노잼, 꿀팁'은 어떤 방법으로 만들어진 신조어입니까?

4. 다음 표현을 이용하여 들은 내용을 정리해서 말해 보십시오.

축약	긴 표현　줄이다　첫 글자　모으다　예시
합성	원래 있던 단어　합치다　예시
대치	비슷한 모양이나 발음　이용하다　예시

5. 함께 이야기해 보십시오.

1) 여러분이 알고 있는 한국의 신조어는 무엇입니까?

2) 언어는 변화하는 특성이 있습니다. 미래의 언어는 어떻게 변할까요?

전달력 향상하기

발음에 주의하면서 읽어 보십시오.

1) 오늘은 변화하는 언어의 대표적인 예인 신조어에 대해서 공부할 건데요.

2) 첫째는 유행성이고 둘째는 확산성입니다.

3) 한국 사람들이 가장 선호하는 방식은 축약의 방법을 이용해서 신조어를 만드는 거예요.

문법

문법 3 -는/(으)ㄴ 이상

1. 다음 문법의 의미를 생각해 봅시다.

- SNS가 **유행하는 이상** 신조어는 계속 새로 만들어지고 사용될 것이다.
- 이렇게 계속 결석이 **많은 이상** 유급을 할 수밖에 없다.
- 제가 팀장을 **맡은 이상** 팀원들과 함께 최선을 다하겠습니다.

2. 알맞은 것을 연결한 뒤에 말해 봅시다.

1) 공부는 안 하고 놀기만 하는 이상 좋은 성적을 받기는 어렵습니다.

1) 공부는 안 하고 놀기만 하다 •	• 그 사실을 믿을 수 없다
2) 내 눈으로 직접 보지 않다 •	• 좋은 성적을 받기는 어렵다
3) 대회에 참가하기로 했다 •	• 가게 문을 닫을 수밖에 없다
4) 가게 매출이 이렇게 적다 •	• 함께 여행하는 건 어려울 것 같다
5) 부모님의 건강이 안 좋다 •	• 우승을 위해 최선을 다하도록 하겠다

3. 알맞은 것을 골라 말해 봅시다.

1) 이곳은 관계자가 아닌 이상	출입할 수 없습니다. □	출입할 수 있습니다. □
2) 도와달라는 말을 들은 이상	거절하기가 쉬웠다. □	거절하기가 어려웠다. □
3) 모두에게 약속을 한 이상	지키도록 노력하겠다. □	지키지 못할 것 같다. □

4. 함께 이야기해 봅시다.

1)

성공적인 유학 생활을 하려면 어떻게 해야 합니까?

어렵게 한국에 유학을 온 이상 시간을 허비하지 않고 잘 활용해서 목표를 이루려고 노력해야 한다고 생각합니다.

2)

행복을 위해 무엇이 필요합니까? 무엇이 없으면 행복할 수 없다고 생각합니까?

03 언어와 생활

문법 4 -(으)ㄹ뿐더러

1. 다음 문법의 의미를 생각해 봅시다.

- 신조어는 사람들에게 쉽게 **공유될뿐더러** 확산도 빠르다는 특징을 가지고 있습니다.
- 도시는 공해가 **심할뿐더러** 교통도 복잡해서 살기에 좋지 않다.
- 그는 우리 반 **1등일뿐더러** 성격도 좋아서 친구들에게 인기가 많다.

2. 다음과 같이 말해 봅시다.

1) 야식을 먹으면 살이 찔뿐더러 숙면에도 방해가 됩니다.

1) 야식을 먹으면 살이 찌다 – 숙면에도 방해가 되다
2) 이번에 새로 나온 휴대폰은 기능이 다양해졌다 – 디자인도 개선되었다
3) 그 드라마는 내용이 신선하다 - 배우들의 연기력도 뛰어나서 인기를 끌고 있다
4) 광고는 제품에 대한 정보를 제공해 주다 – 브랜드 이미지를 알리는 기능도 하다
5) 원룸의 위치가 지하철역 근처이다 – 편의 시설도 많아서 월세가 비싼 편이라고 하다

3. 다음과 같이 문장을 완성해 봅시다.

1) 새로 지은 도서관은 깨끗할뿐더러 새로 나온 책들도 많이 가지고 있다.
2) 그 호텔에 묵으면 조식 서비스를 이용할 수 있을뿐더러 ____________________.
3) 흡연은 ____________________ 주변에 있는 사람에게까지 피해를 준다.
4) 그 드라마는 ____________________ 여러 나라의 자막도 있어서 세계적으로 인기가 있다.

4. 함께 이야기해 봅시다.

1) 신조어는 어떤 기능을 가지고 있습니까?

신조어는 새로운 문화를 나타낼뿐더러 집단 내 소속감도 강화하는 기능을 하고 있습니다.

2) 인간관계에서 칭찬이 왜 필요하다고 생각합니까?

칭찬을 들으면…….

3) 규칙적으로 운동을 하면 우리 몸에 어떤 변화가 생길까요?

규칙적으로 운동을 하면…….

활동 발표문 작성하기

준비하기

1. 여러분 나라에서 많이 사용하는 신조어에는 어떤 것들이 있는지 생각해 봅시다.

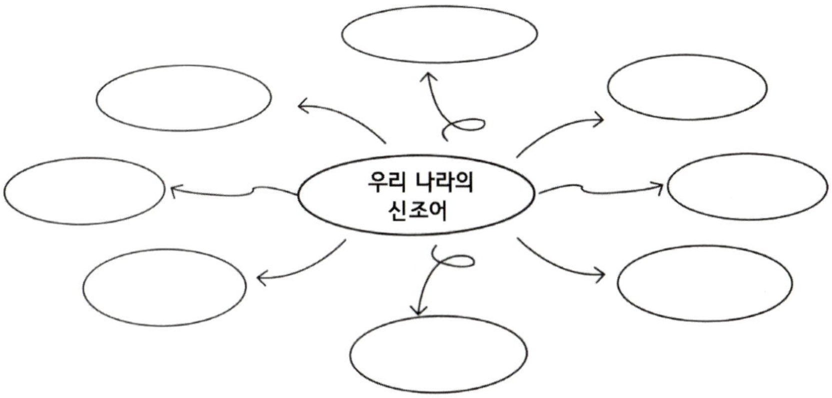

2. 다음을 읽고 개요 쓰기에 대해 생각해 봅시다.

개요는 본격적인 글쓰기 활동 전, 전체적인 글의 구성을 생각하면서 글의 내용을 계획하는 글쓰기 과정이다. 그렇기 때문에 개요는 지도와 같다. 지도를 이용하면 쉽고 빠르게 위치를 찾을 수 있는 것처럼 개요 쓰기는 글의 전체 구조를 미리 계획하고 체계적으로 정리할 수 있도록 도와준다.

개요를 작성하는 방법으로는 차례식 개요와 문장식 개요가 있다. 차례식 개요는 주요 내용을 핵심적인 단어나 짧은 표현으로 정리한 개요이다. 차례식 개요는 핵심 아이디어를 빠르게 파악할 수 있고, 수정이 쉽다는 장점이 있다. 이와 달리 문장식 개요는 주요 내용을 완전한 문장으로 작성한 개요로, 문장 단위로 작성하기 때문에 내용의 연결성과 논리성을 미리 검토하는 데 도움이 된다. 또한 문장식 개요는 개요 자체가 글의 초안 역할을 하기도 한다.

1) 읽은 내용과 같은 것을 모두 고르십시오.

① 개요는 글을 쉽게 쓸 수 있도록 도와주는 지도 같은 역할을 한다. □

② 차례식 개요는 세부적인 내용을 긴 글로 작성하는 것이다. □

③ 문장식 개요는 글의 초안으로 활용될 수 있다. □

2) 여러분은 개요 쓰기에 대해 어떻게 생각합니까?

① 나는 개요 쓰기가 필요하다고 생각한다. □

② 시간 낭비라고 생각한다. □

3) 여러분은 차례식 개요와 문장식 개요 중 어떤 방식을 선호합니까?

활동하기 1

1. 차례식 개요를 바탕으로 문장식 개요를 완성해 봅시다.

<차례식 개요>

1. 신조어의 정의
2. 신조어의 특징
   2.1. 유행성
   2.2. 확산성
   2.3. 소속감
3. 신조어 형성 방법
   3.1. 축약
   3.2. 합성
   3.3. 대치

<문장식 개요>

1. 신조어란 새로 형성된 단어들 중에서 아직 사전에 실리지 않은 단어를 말한다.
2. 신조어의 특징
   2.1. 새로운 사회 현상이나 문화가 ________할 때 생긴다.
   2.2. 다양한 소셜 미디어를 통해 ________.
   2.3. 집단의 ________을 강화한다.
3. 신조어 형성 방법
   3.1. 긴 표현을 ________ 간략하게 표현한다.
   3.2. 원래 있던 단어를 ________ 새로운 단어를 만든다.
   3.3. 모양이 비슷한 숫자나 글자를 ________ 단어를 만든다.

2. 다음 표현을 이용하여 문장을 작성해 봅시다.

예시란?	구체적인 예를 이용해서 청자가 이해하기 쉽도록 설명하는 방식을 말한다.
예시 표현	예를 들면, 예컨대, 가령 ㉠, ㉡, ㉢을/를 예로 들 수 있다. ㉠, ㉡, ㉢ 등이 있다.

신조어 형성 방법 ① : 축약의 방식

예) '별다줄': 별것을 다 줄인다.

→ 신조어를 만드는 방식에는 첫째, 축약의 방식이 있다.

____

활동하기 2

1. 신조어와 관련하여 발표 주제를 정해 봅시다.

◎ 한국과 자국의 신조어 비교

◎ 시대별로 유행하는 신조어

◎ 신조어의 형성 방법

◎ 신조어와 생성 배경

◎ ________________

◎ ________________

2. 차례식 개요나 문장식 개요 중에서 하나를 골라 개요를 작성해 봅시다.

<차례식 개요>

<문장식 개요>

3. 작성한 개요를 이용해서 발표 자료를 만들어 봅시다.

※ 발표 자료 작성 시 주의 사항

발표 자료는 도입부, 전개부, 종결부의 구조를 갖춰야 함.

◎ 도입부: 발표 제목, 발표 일시, 발표자의 이름과 소속, 목차 등이 포함되어야 함.

◎ 전개부: 목차에서 제시된 순서대로 핵심 내용이 구체화되어야 함.
발표문을 명사형으로 요약해야 함.
적절한 자료(그림, 사진, 영상, 표, 그래프 등)의 양과 배치를 고려해야 함.

◎ 종결부: 발표 내용 요약, 질의응답, 청중에 대한 감사 인사 등이 포함되어야 함.

발표 제목:

발표 일시:

발표자:

목차

4. 발표 점검표를 보고 부족한 부분을 수정해 봅시다.

점검 내용	확인
① 개요의 내용과 다르거나 불필요한 내용을 작성한 부분이 있습니까?	네 / 아니오
② 슬라이드 내용과 발표문의 내용이 맞지 않는 곳이 있습니까?	네 / 아니오
③ 조사, 문법, 어휘가 잘못 사용된 부분이 있습니까?	네 / 아니오
④ 발표문에서 주로 사용하는 표현으로 바꿀 수 있는 부분이 있습니까?	네 / 아니오
⑤ 고급 수준의 표현으로 바꿀 수 있는 부분이 있습니까?	네 / 아니오

04

교육과 진로

4-1 / 한국의 교육 문제

어휘·표현 1	교육 관련 표현
듣기 1	교육 관련 다큐멘터리에 관한 대화
읽기 1	학교 교육에 관한 인터뷰 기사
문법	-(으)ㄹ 법하다, -(으)ㄹ 따름이다

4-2 / 취업과 면접

어휘·표현 2	취업 및 면접 관련 표현
읽기 2	채용 공고문 및 합격 통지서
듣기 2	취업 관련 동문 특강
문법	에 한해, -고도 남다

활동 모의 면접하기

1. 여러분의 학창 시절은 어땠습니까?

2. 여러분이 기억하는 고등학교는 어떤 곳입니까?

3. 여러분은 진로와 관련해 어떤 계획을 세우고 있습니까?

4-1 한국의 교육 문제

어휘와 표현 1

1. 한국의 학제와 학기에 대해 알아봅시다.

학제 (6-3-3-4)

의무 교육			
초등 교육	중등 교육		고등 교육
초등학교 6년	중학교 3년	고등학교 3년	대학교 4년, 2~3년
무상 교육			

학기

1학기	3월 초 시작
2학기	8월 말 ~ 9월 초 시작

1) 한국의 학제나 학기는 여러분 나라와 어떤 차이가 있습니까?
2) 의무 교육이나 무상 교육을 하면 어떤 효과가 있을 것 같습니까?
3) 여러분 나라의 대학 진학률은 높은 편입니까? 낮은 편입니까? 왜 그렇습니까?
4) 홈스쿨링이나 대안 학교, 온라인 학교는 기존의 학교 교육과 어떻게 다릅니까?

2. 교육 형태와 관련된 표현을 알아봅시다.

1) 다음은 어떤 교육 형태를 의미하는지 이야기해 보십시오.

태교 가정 교육 공교육 사교육 직업 교육 평생 교육 온라인 교육

①

②

③

④

⑤

⑥

⑦

2) 함께 이야기해 보십시오.
① 각 교육에서 중요하게 여기는 것은 무엇입니까?
② 미래 사회에는 어떤 교육이 중요할 것 같습니까? 왜 그렇게 생각합니까?

3. 사교육과 관련된 표현을 알아봅시다.

1) 알맞은 표현을 골라 쓰십시오.

부족한 부분을 보충하다	사교육비가 부담되다	맞춤 교육을 받다
선행 학습을 하다	학업 스트레스가 크다	교육 격차가 발생하다

사교육의 원인	사교육의 장점	사교육의 단점
교육열이 높다 입시 경쟁이 치열하다		

2) 함께 이야기해 보십시오.

① 여러분 나라에서는 학창 시절에 주로 어떤 사교육을 받습니까?

② 사교육은 일반적으로 어떤 형태로 진행됩니까?

③ 여러분은 사교육이 언제 필요하다고 생각합니까?

④ 여러분이 학부모라면 자녀에게 사교육을 시키겠습니까? 왜 그렇습니까?

4. 사고방식과 관련된 어휘를 알아봅시다.

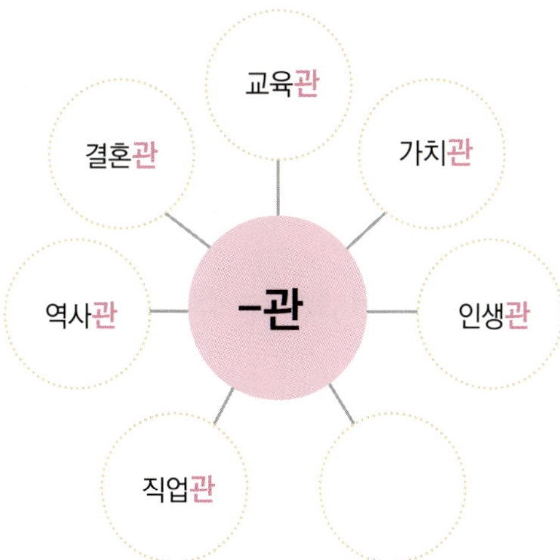

1) 부모님 세대와 여러분 세대의 결혼관이나 직업관은 어떻게 다릅니까?

2) 사람의 가치관을 형성하는 데 무엇이 영향을 끼친다고 생각합니까?

3) 여러분은 인생에서 무엇이 중요하다고 생각합니까? 인생관에 대해 이야기해 보십시오.

듣기 1

준비하기

1. 여러분은 고등학교 때 무엇을 위해 공부했습니까?

대학에 진학하기 위해	□	실생활에 필요한 지식을 배우기 위해	□	
적성과 흥미를 찾기 위해	□	자신의 가능성을 탐색하기 위해	□	기타: ________

2. 여러분 나라의 고등학교에서는 어떤 교육을 중요하게 생각하는 것 같습니까?

3. 여러분 나라에서는 사회적으로 성공하는 데 성적이 중요합니까? 그렇지 않다면 무엇이 중요합니까?

듣기

● 교육 다큐멘터리에 관한 대화를 듣고 질문에 답하십시오. 04-1

1. 다큐멘터리에서 조사한 내용은 무엇입니까?

여러 나라의 20대 ________ 을 대상으로 ________ 에 대해 조사했다.

2. 알맞은 것을 고르십시오.

1) 공부를 못해도 존중받을 수 있는가?

응답자	결과
한국	40% 이상 그렇다. ☐ 40% 이상 그렇지 않다. ☐
미국	대부분 그렇다. ☐ 대부분 그렇지 않다. ☐

2) 학창 시절 공부의 목적은 무엇인가?

응답자	결과
한국	60% 이상 명문 대학 진학 ☐ 60% 이상 자기 가능성 탐색 ☐
미국	대부분 명문 대학 진학 ☐ 대부분 자기 가능성 탐색 ☐

3. 들은 내용과 같은 것을 모두 고르십시오.

① 남자와 여자는 어제 다큐멘터리를 함께 봤다. ☐

② 다큐멘터리에 나온 설문 조사는 5개국에서 진행되었다. ☐

③ 남자는 공부를 잘하지 못해서 무시를 당한 경험이 있다. ☐

④ 여자는 고등학교 시절에 학업에 대한 스트레스를 심하게 받았다. ☐

4. 들은 내용을 정리해서 말해 보십시오.

읽기 1

준비하기

1. 여러분은 한국의 교육에 대해 어떻게 생각합니까?

토론식 교육	□	높은 교육열	□	디지털 교육 환경	□	입시 경쟁	□
예체능 교육	□	특성화 교육	□	학업 스트레스	□	기타: ________	

2. 조사 결과를 보면서 질문에 답하십시오.

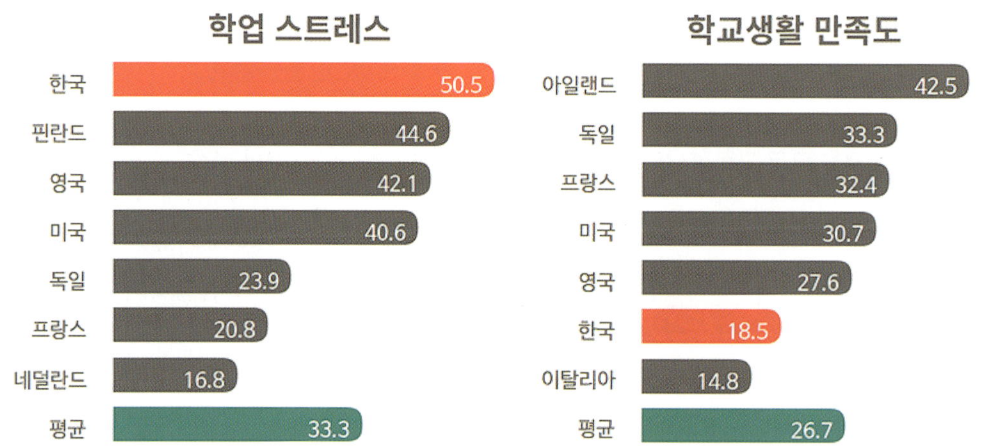

출처: 한국보건사회연구원, 단위: %

1) 조사 기관과 설문 조사 주제는 무엇입니까?

2) 한국 학생들의 학업 스트레스와 학교생활 만족도는 어떻습니까?

3) 조사 결과를 보면 한국 학생들의 학교생활이 어떨 것 같습니까?

3. 고등학교 시절에 여러분을 가장 힘들게 한 것은 무엇입니까? 왜 그것이 힘들었습니까?

읽기

● 인터뷰 기사를 읽고 질문에 답하십시오.

교육 인터뷰

[편집자 주] 흔히 교육을 '백년지대계'라고 한다. 이는 교육이 100년의 큰 계획이라는 의미로, 교육이 국가의 미래를 책임진다는 말이다. 전쟁의 아픔을 겪은 한국이 짧은 시간에 발전한 데는 교육의 힘이 컸다. 교육을 통한 인재 양성은 한국 사회에 없어서는 안 될 중요한 힘이다. 이에 앞으로 3회에 걸쳐 '바른 교육을 위한 모임'의 이수민 교수와 한국 교육의 현재와 미래를 살펴보고자 한다.

한국 교육의 현재와 미래 ①
- 한국 교육의 현주소

Q. 요즘의 한국 교육에 대해 어떻게 생각하는가?

A. 예나 지금이나 우리 사회는 교육열이 뜨겁다. 교육이 성공의 지름길이며, 좋은 대학을 나오면 더 나은 삶을 살 수 있다고 믿는다. 그러다 보니 대학 진학이 교육의 가장 큰 목표가 되고 말았다. 학교 교육도 입시 위주로 운영될뿐더러 부모들도 자녀를 좋은 대학에 보내는 방법만 고민한다. 교육이 입시만을 위해 존재하는 것 같아 안타까울 따름이다.

Q. 입시 위주의 교육은 어떤 결과를 가져왔나?

A. 입시 위주의 교육으로 성적 경쟁이 치열해졌다. 높은 점수를 받아야 좋은 대학에 진학할 수 있기 때문이다. 이에 부모들은 학교 수업만으로는 부족하다고 생각해 아이들을 학원에 보내거나 과외를 시키고 있다. 이들은 경제적 부담을 느끼면서도 사교육이 자녀를 위한 선택이라고 믿는다. 그러나 자녀들은 그로 인해 학업 스트레스를 받고 학교 수업에도 흥미를 잃고 있다. '학원에서 공부하고 학교에서 잔다.'라는 말이 있을 정도로, 공교육보다 사교육이 더 중시되고 있는 상황이다.

Q. 현재 사교육 시장은 어떠한가?

A. 통계청의 조사 결과를 보면, 사교육에 참여하는 비율은 작년에 비해 3% 가까이 늘어났고, 같은 기간의 사교육비 총액도 23조 원에서 26조 원으로 10% 정도 증가했다. 이는 사교육비를 조사한 이후 최대 금액이라고 한다.

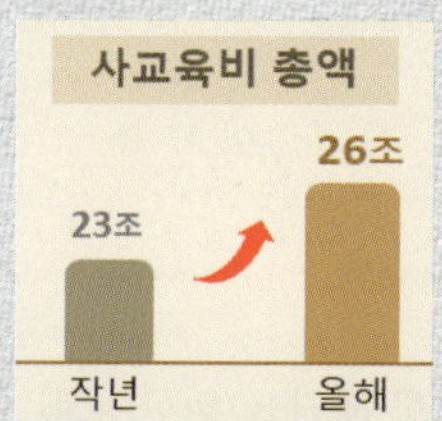

Q. 이로 인해 어떤 문제가 발생하는가?

A. 조사 결과에서 알 수 있다시피 사교육은 가정 경제에 큰 부담을 주고 있다. 그러나 더 큰 문제는 교육 격차를 발생시킨다는 점이다. 교육 격차란 지역이나 가정의 소득 등에 따라 발생하는 교육적 수준 차이를 말한다. 소득이 높은 가정일수록 사교육에 투자하는 비용이 크다. 사교육을 받으면 입시 경쟁에서 앞설 수밖에 없으므로 가정의 소득 수준에 따라 교육 격차가 더욱 심해진다.

Q. 교육 격차를 해소하는 방법은 무엇인가?

A. 그 문제를 해결하려면 정부 차원에서 누구에게나 동등하게 교육의 기회를 제공할 필요가 있다. 얼마 전 교육부에서 교육 방송의 유료 프로그램을 무료로 전환했는데, 그 결과 약 20만 명의 학습자가 1,300여 개의 강좌를 무료로 수강할 수 있게 되었다. 이처럼 교육의 기회를 넓히면 사교육이 줄어 교육 격차 문제도 자연스럽게 해결될 것이다. 더불어 공교육의 질적 향상을 위해서도 노력해야 한다.

1. 무엇에 대해 이야기하고 있습니까?

사교육으로 인한 문제와 그 ______

2. 다음 표를 완성하십시오.

질문	대답
한국의 교육 현황	학교 교육이 ______ 위주로 진행되어 안타깝다.
입시 위주 교육의 결과	사교육을 해야 해서 부모는 ______을 느끼고 학생들은 ______를 받고 있다.
사교육의 문제	______에 부담을 줄뿐더러 교육 ______가 심해진다.
문제 해결을 위한 노력	정부 차원에서 교육의 기회를 ______ 제공해야 하며, ______의 질을 높이기 위해 노력해야 한다.

3. 묻고 대답하십시오.

1) 교육을 백년지대계라고 하는 이유는 무엇입니까?
2) 작년 대비 사교육의 참여율과 사교육비는 어떻게 달라졌습니까?
3) 가정의 소득에 따라 교육 격차가 발생하는 이유는 무엇입니까?
4) 교육 격차를 해소하기 위해 정부는 어떤 노력을 했습니까?

4. 다음 표현을 이용하여 읽은 내용을 정리해서 말해 보십시오.

한국의 교육	백년지대계　미래　책임지다　인재 양성
사교육의 문제	학업 스트레스　사교육비　교육 격차
해결 방안	교육 기회　공교육의 질

5. 함께 이야기해 보십시오.

1) 여러분 나라에서는 교육에 대해 어떻게 생각합니까?
2) 최근 여러분 나라에서 가장 심각한 교육 문제는 무엇입니까? 그 문제를 해결하기 위해 어떤 노력을 하고 있습니까?

문법

문법 1 -(으)ㄹ 법하다

1. 다음 문법의 의미를 생각해 봅시다.

- 한국 청년이라면 학창 시절에 대학 입시를 위해 공부했다고 대답했을 법해요.
- 이것저것 물어보는 아들이 귀찮을 법한데도 아내는 항상 친절하게 대답해 준다.
- 일찍 출발했으니까 지금쯤이면 도착했을 법한데 아직 연락이 없다.

2. 알맞은 것을 골라 써 봅시다.

보기	포기하다	나오다	✓그립다	모았다	그렇다

1) 10년 동안 고향에 가지 못했으니 그만큼 가족과 고향이 그리울 법하다.
2) 여행지에서 첫사랑과 다시 만나다니 영화에서나 __________ 일이다.
3) 시험에 5번이나 떨어졌으면 __________ 그는 다시 도전하겠다고 했다.
4) 직장 생활을 6년이나 했으면 돈을 꽤 __________ 동생은 매번 돈이 없다고 한다.
5) 그는 말주변이 좋아서 그의 말을 듣다 보면 정말 __________ 생각이 든다.

3. 다음과 같이 대화를 완성해 봅시다.

1) 가: 윤아가 여행에서 돌아왔다고 들었는데 지금 쉬고 있겠네요?
   나: 아니요. 여행을 다녀와서 피곤할 법한데 친구 만난다고 아까 나갔어요.
2) 가: 날씨가 많이 추워졌어요.
   나: 그러게요. 이 정도 추위면 눈이 __________ 아직까지 눈 소식이 없네요.
3) 가: 미나 씨가 과로로 쓰러져서 입원했대요.
   나: 팀장이 되면서 주말에도 계속 일했으니까 __________.
4) 가: 여자 친구랑 헤어진 지 얼마 안 됐는데 민수한테 새 여자 친구가 생겼대.
   나: 솔직히 민수가 능력도 있고 얼굴도 잘생겼잖아. 여자들이 __________.
5) 가: 동생한테 연락 왔어? 합격자 발표가 오전에 나온다고 했잖아.
   나: 나도 답답해. 지금 3시니까 벌써 발표가 __________ 아직 전화가 없어.

4. 함께 이야기해 봅시다.

1) 영화에나 나올 법한 경험을 한 적이 있습니까?
2) 아무리 착한 사람도 화를 낼 법한 상황에는 어떤 것이 있습니까?
3) 지금은 없지만 미래에는 존재할 법한 물건은 무엇이라고 생각합니까?

문법 2 -(으)ㄹ 따름이다

1. 다음 문법의 의미를 생각해 봅시다.

- 교육이 입시만을 위해 존재하는 것 같아 안타까울 따름이다.
- 저는 제가 할 일을 했을 따름입니다.
- 졸업은 새로운 시작일 따름이에요.

2. 알맞은 것을 골라 말해 봅시다.

보기	✔ 기쁘다	실망스럽다	고맙다	운이 좋았다

1) 어려운 이웃을 도울 수 있어서 기쁠 따름입니다.
2) 매번 잊지 않고 찾아와 주시니 ______________________.
3) 기대보다 결과가 좋지 않아서 ______________________.
4) 이번 성공을 위해 특별히 한 일은 없습니다. 그저 ______________________.

3. 다음과 같이 대화를 완성해 봅시다.

1) 가: 우수 사원으로 뽑혀 회사 홈페이지에 실렸는데 기분이 어때요?
   나: 제 일을 했을 뿐인데 회사 홈페이지에까지 실리다니 부끄러울 따름이에요.
2) 가: 응원해 준 팬들에게 한마디 해 주세요.
   나: 부족한데도 늘 좋게 봐 주시니까 ______________________.
3) 가: 한국어 말하기 실력이 엄청 늘었는데 특별한 비결이라도 있나요?
   나: 특별한 비결이 있기는요. 그냥 날마다 꾸준히 ______________________.
4) 가: 마키 씨, 갑자기 왜 전화했어요? 무슨 일 있어요?
   나: 아니요. 아무 일도 없어요. 그냥 안부가 궁금해서 ______________________.
5) 가: 이번에 가수 미나 씨와 열애설이 났는데 사실입니까?
   나: 아닙니다. 저희는 같은 소속사의 ______________________.

4. 함께 이야기해 봅시다.

1) 교육자상 수상자 - 기자

기 자 : 이번에 교육자상을 받으신 것을 축하드립니다. 소감 한말씀 부탁드립니다.
수 상 자 : 상을 바라고 한 일도 아닌데 이렇게 큰 상을 주셔서 감사할 따름입니다.
기 자 : 그간 교육 환경 개선을 위해서 노력하신 결과라고 생각됩니다.
수 상 자 : 그저 학생들이 행복한 학교를 만들기 위해 고민했습니다.

2) 환경보호상 수상자 - 기자 3) 봉사상 수상자 - 기자

4-2 취업과 면접

어휘와 표현 2

1. 진로 및 취업과 관련된 표현을 알아봅시다.

진로를 탐색하다		진로를 정하다
적성을 파악하다 진로 상담을 받다 직업 심리 검사를 하다 전망을 살피다	→	진학하다 유학하다 취업하다 창업하다

1) 함께 이야기해 보십시오.

① 진로를 탐색할 때 적성을 파악하는 것이 왜 필요합니까?

② 누구에게 진로 상담을 받는 게 효과적일 것 같습니까?

역량을 키우다		회사에 지원하다		취업하다
학점을 관리하다 자격증을 취득하다 취업 특강을 듣다 관련 경력을 쌓다	→	목표 기업을 분석하다 채용 공고를 살피다 서류를 작성, 제출하다 면접을 준비하다	→	입사하다

2) 함께 이야기해 보십시오.

① 관련 경력을 쌓는 방법에는 어떤 것들이 있습니까?

② 목표 기업을 분석하려면 어떻게 해야 합니까?

③ 지원 서류를 작성할 때 주의해야 할 점은 무엇입니까?

2. 구직과 관련된 표현을 알아봅시다.

1) 알맞은 것을 연결하십시오.

① 채용 공고 •	• 질문하고 대답을 들으며 지원자를 평가하는 것
② 지원 자격 •	• 회사에서 사람을 뽑는다는 사실을 알리는 것
③ 서류 전형 •	• 시험을 봐서 지원자를 평가하는 것
④ 필기시험 •	• 지원할 수 있는 사람의 조건을 쓴 것
⑤ 면접 심사 •	• 제출한 서류로 지원자를 평가하는 것

2) 구직에 필요한 서류를 확인해 보십시오.

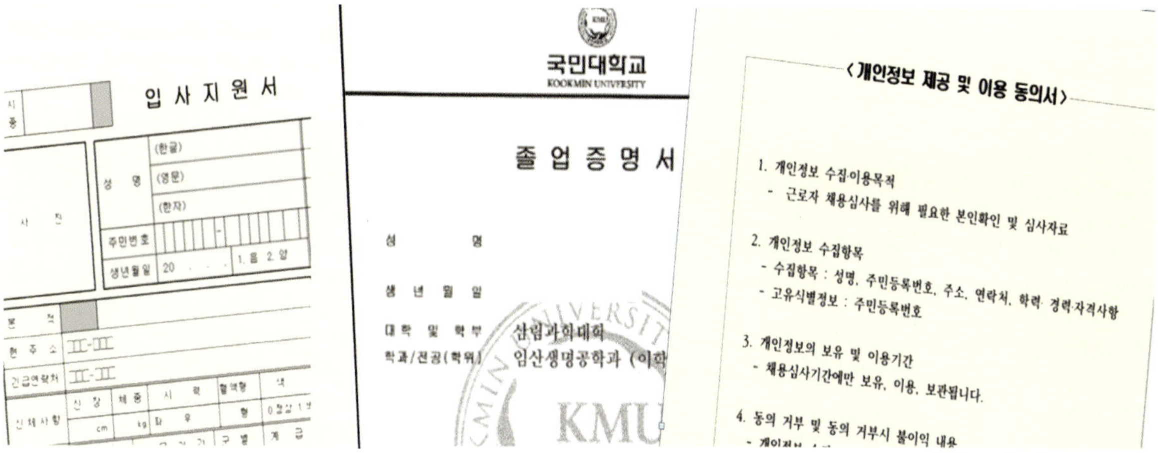
입 사 지 원 서

성명	(한글) (영문) (한자)
주민번호	
생년월일	20 . . .
본적	
현주소	
긴급연락처	
신체사항	신장 cm, 체중 kg

국민대학교
KOOKMIN UNIVERSITY

졸 업 증 명 서

성 명
생 년 월 일
대학 및 학부 산림과학대학
학과/전공(학위) 임산생명공학과 (이학

〈개인정보 제공 및 이용 동의서〉

1. 개인정보 수집·이용목적
- 근로자 채용심사를 위해 필요한 본인확인 및 심사자료

2. 개인정보 수집항목
- 수집항목 : 성명, 주민등록번호, 주소, 연락처, 학력·경력·자격사항
- 고유식별정보 : 주민등록번호

3. 개인정보의 보유 및 이용기간
- 채용심사기간에만 보유, 이용, 보관됩니다.

4. 동의 거부 및 동의 거부시 불이익 내용

3) 알맞은 단어를 골라 쓰십시오.

서류	증명서	자격증
입사 지원서 이력서 자기소개서 개인 정보 이용 동의서	최종 학력 증명서 졸업 증명서 성적 증명서 경력 증명서	어학 자격증 컴퓨터 자격증 직무 관련 자격증 ※ 사본 제출도 가능함

① ______________는 구직자가 회사에 제출하는 서류로 개인 정보, 학력, 경력 등을 적는다.

② 지원자가 대학교에서 받은 학점은 ______________를 보면 알 수 있다.

③ ______________는 지원자의 생년월일이나 연락처 같은 정보를 수집하는 것을 허락하는 것이다.

④ 자격증은 원본이 아니라 ______________을 제출해도 된다.

3. 기업의 면접 유형에 대해 알아봅시다.

인성 면접	토론 면접	역량 면접	프레젠테이션 면접
인공 지능(AI) 면접	화상 면접	블라인드 면접	영어 면접

1) 토론 면접을 하면 무엇을 알 수 있습니까?
2) 블라인드 면접을 하면 어떤 효과가 있을 것 같습니까?
3) 인공 지능 면접의 장단점은 무엇이라고 생각합니까?
4) 여러분은 어떤 면접을 하면 잘할 것 같습니까? 그 이유는 무엇입니까?

읽기 2

준비하기

1. 여러분 나라에서는 취업 정보를 어떻게 얻을 수 있습니까?
2. 여러분은 취업할 때 무엇이 중요하다고 생각합니까?

읽기 2-1

● 공고문을 읽고 질문에 답하십시오.

성북구 다문화지원센터 팀원 채용 공고

채용 분야 및 지원 자격

분야 - 다문화 사업 팀
인원 - 3명
지원 자격 - 사회 복지 관련 학사 학위 이상 소지자 (졸업 예정자 포함)
- 사회 복지사 자격증 소지자 우대
- 외국어 가능자 우대

전형 일정

1차 - 서류 전형 12월 10일(수)
2차 - 면접 심사
서류 심사 합격자에 한해 개별 통지

* 서류를 허위로 작성한 경우 합격이 취소됩니다.
* 제출된 서류는 반환되지 않습니다.

접수 및 문의

접수 12. 1. - 12. 5.
방법 이메일 접수 **family@korean.com**
문의 성북구 다문화지원센터 **02-1234-5678, 5679**

제출 서류
- 지원서 및 자기소개서, 개인 정보 이용 동의서 각 1부
- 최종 학력 증명서 1부, 성적 증명서 1부
- 경력 증명서 1부(해당자만)
- 자격증 사본(해당자만)

1. 이 공고문의 목적은 무엇입니까?

   성북구 다문화지원센터의 직원을 ______________ 기 위해서

2. 읽은 내용과 같은 것을 모두 고르십시오.

   ① 사회 복지사 자격증이 없어도 지원할 수 있다. ☐
   ② 서류 접수나 문의는 이메일을 통해서 받는다. ☐
   ③ 모든 지원자는 경력 증명서를 제출해야 한다. ☐
   ④ 불합격한 지원자는 제출한 서류를 돌려받을 수 있다. ☐

읽기 2-2

● 합격 통지서를 읽고 질문에 답하십시오.

서류 전형 합격 통지서

성북구 다문화지원센터 팀원 채용 서류 심사에 합격하셨습니다.
이에 면접 심사 일정을 알려드립니다.

1. 면접 심사: 12월 17일(수) 15:00 ~ 18:00 (개인별 면접 시간 반드시 숙지)
※ 면접은 개별적으로 진행됩니다.
※ 면접은 1인당 대기 시간을 포함해 최대 40분 정도 소요될 예정입니다.

2. 면접 장소: 다문화관 305호 / 대기실: 다문화관 301호

3. 응시자 유의 사항
1) 신분증과 서류 전형 합격 통지서를 꼭 지참하시기 바랍니다.
2) 대기실 앞에서 출석 확인 후 안내에 따라 이동하시기 바랍니다.
3) 불참 시 불합격 처리됩니다.

4. 합격자 발표 안내
1) 발표 일시: 12월 20일(토) 18시(예정)
2) 발표 방법: 홈페이지 공고 및 개별 통보

5. 문의: 성북구 다문화지원센터 (02)1234-5678, 5679

1. 누구에게 보낸 안내문인지 고르십시오.

① 서류를 제출한 지원자 전원에게 □ ② 서류 심사를 통과한 지원자에게 □

2. 묻고 대답하십시오.

1) 면접 심사는 언제, 어디에서 진행됩니까?
2) 면접 응시자당 면접 시간은 얼마나 걸릴 예정입니까?
3) 면접 응시자가 꼭 가지고 와야 하는 것은 무엇입니까?
4) 면접에 합격한 사실은 어떻게 알려 줄 겁니까?

3. 읽은 내용을 정리해서 말해 보십시오.

듣기 2

준비하기

1. 최근 여러분 나라에서는 취업하기가 쉽습니까? 어렵습니까? 왜 그렇게 생각합니까?

2. 여러분은 '하늘의 별 따기'라는 표현을 들어 본 적이 있습니까? 어떤 의미인 것 같습니까?

3. 특강 안내문을 보면서 이야기해 보십시오.

1) 이 특강은 언제, 어디에서 진행됩니까?
2) 이 특강에서 무엇을 알려 줄 예정입니까?
3) 이 특강을 듣고 싶으면 어떻게 해야 합니까?

듣기

● 취업 특강을 듣고 질문에 답하십시오. 04-2

1. 이 특강을 하는 목적은 무엇입니까?

졸업한 선배가 재학생들의 ________ 에 도움을 주기 위해서

2. 다음 표를 완성하십시오.

재학생들의 고민	선배의 조언
취업 준비가 막막해요.	진로를 ______으로 정하는 것부터 시작해야 한다.
자격증이 꼭 필요한가요?	자격증은 ______ 조건이지 ______ 조건이 아니다.
	관련 분야의 다양한 ______을 쌓는 것이 좋다.
면접은 어떻게 준비해야 하나요?	면접관들의 질문을 ______ 보고 실제 면접처럼 연습하면 좋다.

3. 묻고 대답하십시오.

1) 동문 선배는 현재 어떤 업무를 하고 있습니까?
2) 진로를 정하지 못한 경우에는 어떻게 하라고 합니까?
3) 취업할 때 자격증보다 중요한 것이 무엇이라고 합니까?
4) 회사에서 면접을 할 때 기본적으로 어떤 질문을 합니까?

4. 다음 표현을 이용하여 들은 내용을 정리해서 말해 보십시오.

진로 고민	진로 구체적 진로 상담 직업 심리 검사
자격증 고민	자격증 우대하다 필수 경력
면접 고민	기본적인 질문 예상 질문 모의 면접

5. 함께 이야기해 보십시오.

1) 면접을 잘 보려면 어떤 것들을 신경 써야 합니까? 왜 그렇습니까?
2) 여러분이 면접관이라면 지원자에게 어떤 질문을 하겠습니까?

전달력 향상하기

● 발음에 주의하면서 읽어 보십시오.

1) 후배들에게 조금이라도 도움이 <u>됐으면</u> 하는 마음에 용기를 <u>냈습니다</u>.
2) 저도 거기에서 직업 심리 검사를 <u>받았는데</u> 도움이 많이 <u>됐어요</u>.
3) 자격증이 <u>있다는</u> 건 그 분야에 대해 <u>준비했다는</u> 거니까요.

문법

문법 3 에 한해

1. 다음 문법의 의미를 생각해 봅시다.

- 서류 심사 **합격자에 한해** 개별 통지함.
- 30인 이상 **단체에 한해** 무료 입장이 가능하다.
- 우편 접수는 마감일 안에 도착한 **서류에 한한다.**

2. 알맞은 것을 골라 말해 봅시다.

보기	고객	관람객	신입생	✓ 경우	제품

1) 의사의 소견서가 있는 경우에 한해 출석이 인정됩니다.
2) 경복궁은 한복을 입은 ______________ 무료 입장이 가능합니다.
3) 행사 기간에 매장을 방문한 ______________ 선물을 드릴 예정입니다.
4) 인기가 없는 일부 ______________ 1+1 행사를 진행하려고 합니다.
5) 우리 학교는 토픽 4급 이상을 취득한 ______________ 장학금을 지급하고 있습니다.

3. 안내문을 보고 써 봅시다.

국민백화점 혜택

1) 30% 할인 쿠폰 제공
 대상: 신규 가입자
2) 선물 증정
 대상: 10만 원 이상 구매 고객
3) 단, 혜택은 선착순 100명에게만!

1) 신규 가입자에 한해 30% 할인 쿠폰을 제공한다.
2) ______________.
3) ______________.

성북구 가을 음악회

4) 성북구 주민만 관람 가능
5) 사전 신청자는 좌석 배정

4) ______________.
5) ______________.

문법 4 -고도 남다

1. 다음 문법의 의미를 생각해 봅시다.

- 관련 분야의 경력을 쌓으면 자격증이 없다는 걸 보완하고도 남습니다.
- 일이 간단해서 이틀이면 그 일을 끝내고도 남는다.
- 지금 네 가창력은 가수가 되고도 남는 수준이다.

2. 알맞은 것을 골라 말해 봅시다.

보기	이해하다	팀장이 되다	장난을 치다	메달을 따다	✓ 거짓말을 하다

1) 평소 그 사람의 행실을 생각해 보면 거짓말을 하고도 남을 사람이에요.
2) 내 동생은 엉뚱해서 어린아이 같은 ______________________.
3) 저도 유학 생활을 한 적이 있어서 유학생의 어려움을 ______________________.
4) 지금의 성적을 유지한다면 이번 대회에서 ______________________ 거라고 봅니다.
5) 김 대리는 다음 사업의 ______________________ 역량을 갖추고 있습니다.

3. 다음과 같이 대화를 완성해 봅시다.

1) 가: 점심으로 피자 어때요? 네 판이면 부족할까요?
   나: 부족하긴요? 전부 일곱 명이니까 네 판이면 먹고도 남아요.
2) 가: 지금 실력으로 합격할 수 있을까?
   나: 걱정 마. 네 실력이면 ______________________.
3) 가: 국민대학교에서 혜화역까지 1시간이면 가겠지?
   나: 대학로는 가깝잖아. 1시간이면 충분히 ______________________.
4) 가: 이틀 후면 대회 결승인데 우리 팀이 우승할 수 있을까요?
   나: 지금 우리 팀의 경기력이라면 대회에서 ______________________ 걱정하지 마세요.
5) 가: 1시간 안에 이 일을 끝낼 수 있을까요?
   나: 분량이 많지 않으니까 1시간이면 일을 ______________________ 것 같은데요.

4. 함께 이야기해 봅시다.

1) 우리 반 학생들이 먹고도 남으려면 치킨을 얼마나 시켜야 할까요?
2) 생활비가 쓰고도 남을 만큼 있으려면 얼마나 필요하다고 생각합니까?
3) 유학생이라면 누구나 공감하고도 남을 만한 일은 무엇입니까?

활동 | 모의 면접하기

준비하기

1. 다음 채용 공고문을 보면서 이야기해 봅시다.

1) 두 회사는 공고문에 어떤 내용을 넣었습니까?

2) 여러분은 어떤 채용 공고문이 마음에 듭니까? 그 이유는 무엇입니까?

3) 여러분이 채용 공고문을 만든다면 어떤 내용을 넣고 싶습니까? 왜 그렇습니까?

2. 두 사람의 대화를 듣고 질문에 답하십시오. 04-3

1) 면접관이 한 질문을 모두 고르십시오.

자기소개	□	성격의 장단점	□	전공과 학점	□	지원 동기	□
직업관	□	경력과 자격증	□	입사 후 포부	□	원하는 업무	□

2) 들은 내용과 같은 것을 모두 고르십시오.

① 지원자는 긍정적인 자세로 노력하는 사람이다. □

② 지원자는 실패가 두려워서 무언가를 포기한 적이 있다. □

③ 지원자는 이 회사의 도전 정신을 중요하게 평가한다. □

3) 함께 이야기해 보십시오.

① 여러분이 면접관이라면 이 지원자를 채용하겠습니까? 왜 그렇습니까?

② 여러분이 면접관이라면 또 어떤 질문을 하겠습니까? 왜 그 질문을 하고 싶습니까?

활동하기

1. 채용 공고문을 만들어 봅시다.

1) 함께 회사를 정하고, 채용 공고문에 넣을 내용을 이야기해 보세요.
2) 우리 회사의 채용 공고문을 만들어 보세요.

2. 면접관 팀과 지원자 팀으로 나누어 면접을 준비해 봅시다.

면접관 팀	지원자 팀
1. 회사에 어울리는 면접 질문을 만든다. 질문 1. ________ 질문 2. ________ 질문 3. ________ 질문 4. ________ 질문 5. ________	1. 지원하는 회사의 면접 예상 질문을 만든다. 질문 1. ________ 질문 2. ________ 질문 3. ________ 질문 4. ________ 질문 5. ________
2. 면접 기준과 평가표를 만든다.	2. 면접관과 지원자가 되어 면접 연습을 한다.

3. 모의 면접을 해 봅시다.

1) 면접관은 지원자를 면접하고 평가표를 작성하세요.

면접 평가표

지원자 이름:________

면접 질문	점수			
1.	10	8	6	4
2.	10	8	6	4
3.	10	8	6	4
4.	10	8	6	4
5.	10	8	6	4

총점 ________ 점

2) 면접관은 최종 합격자를 발표하고 선택한 이유를 이야기해 보세요.
3) 면접 과정이 어땠는지 소감을 이야기해 보세요.

05

사회 현상과 변화

5-1 / 한국 사회의 갈등

어휘·표현 1	갈등 및 해결 관련 표현
듣기 1	층간 소음에 관한 캠페인
읽기 1	층간 소음에 관한 칼럼과 편지
문법	-는 통에, -다 못해

5-2 / 가족 제도의 변화

어휘·표현 2	가족 형태 및 출산 관련 표현
읽기 2	가족 형태에 관한 기획 기사
듣기 2	비혼 출산 관련 개인 방송과 강연
문법	-는 한, -(으)ㄹ 리 없다

활동 토론하기 1

한국어기초사전

↓ 사전 내려받기 가 가

갈등 (葛藤) ★★

발음	[갈뜽]
파생어	갈등하다
품사	「명사」

1. 서로 생각이 달라 부딪치는 것.

- 내부 **갈등**.
- 사회적 **갈등**.
- 정치적 **갈등**.
- 종교적 **갈등**.
- **갈등**이 깊어지다.
- 나는 친구와 **갈등**이 생겨 크게 다투고 말았다.
- 우리 부부는 **갈등**을 해결하기 위해 서로의 생각을 이해하려고 노력했다.
- 가: 남자 친구와 종교 문제로 **갈등**이 심하다면서?
  나: 응, 서로 종교가 다르니까 문제가 자꾸 생기네.

더 보기

〈출처: 한국어기초사전〉

1. 사전에서 '갈등'을 검색해 보고, 그 의미를 한국어로 설명해 보십시오.

2. 사회에서 나타날 수 있는 갈등에는 어떤 것들이 있습니까?

3. 갈등을 해결하려면 어떻게 해야 합니까?

5-1 한국 사회의 갈등

어휘와 표현 1

1. 갈등의 유형에 대해 알아봅시다.

가족 갈등	이웃 갈등	세대 갈등	남녀 갈등
다문화 갈등	노사 갈등	지역 갈등	종교 갈등

1) 알맞은 것을 연결하십시오.

①	가: 결혼은 꼭 해야 하는 거야. 나: 요즘 누가 그렇게 생각해요? 할머니랑은 말이 안 통해.	•	•	이웃 갈등
②	가: 장모님이 내 물건을 마음대로 정리하니까 불편해. 나: 우리 엄마가 청소해 준 거잖아. 고맙게 생각해야지. 가: 우리 나라에서는 가족이라도 그렇게 안 한단 말이야.	•	•	지역 갈등
③	가: 남의 대문 앞에 주차하면 어떻게 합니까? 나: 주차할 공간이 없는데 그럼 어떻게 해요?	•	•	세대 갈등
④	가: 이번에도 옆 도시에만 공원을 짓는다고요? 나: 네. 그곳만 정부의 혜택을 받는 건 불공평해요.	•	•	다문화 갈등

2) 함께 이야기해 보십시오.

① 여러분은 가족 갈등을 겪은 적이 있습니까?
② 어떤 갈등이 가장 심각한 문제라고 생각합니까? 왜 그렇습니까?
③ 다문화 가족이 겪을 수 있는 갈등에는 어떤 것이 있을 것 같습니까?
④ 여러분 나라에서 최근에 사회 문제가 되고 있는 갈등은 무엇입니까?

2. 갈등과 관련된 표현을 알아봅시다.

1) 알맞은 표현을 골라 쓰십시오.

갈등을 해결하다　　갈등을 빚다　　갈등이 깊어지다

①	②	③
이기적으로 행동하다 규칙을 위반하다 말을 뒤집다 입장 차이가 있다	잘못을 부인하다 변명을 늘어놓다 감정적으로 대응하다 상대에게 보복하다	차분하게 상황을 살피다 잘못을 인정하다 진심으로 사과하다 중재자를 찾다

2) 함께 이야기해 보십시오.

① 이웃과 갈등을 빚는 행동에는 무엇이 있습니까?
② 여러분은 이기적으로 행동하는 사람을 보면 어떻게 하겠습니까?
③ 누군가에게 진심으로 사과한 적이 있습니까? 무슨 일 때문이었습니까?
④ 여러분은 중재자가 되어 누군가의 갈등을 해결해 본 경험이 있습니까?

3. 마음과 관련된 어휘를 알아봅시다.

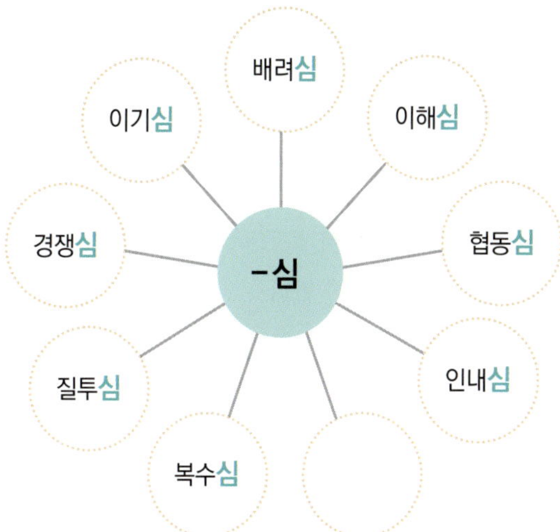

1) 여러분은 갈등을 해결하는 데 어떤 마음이 중요하다고 생각합니까?
2) 경쟁심이나 질투심을 느낀 적이 있습니까? 무슨 일 때문에 그랬습니까?
3) 협동심이 부족한 친구와 함께 일을 해야 할 때는 어떻게 해야 합니까?
4) 인내심이 필요한 순간은 언제입니까? 왜 그렇습니까?

듣기 1

준비하기

1. 여러분은 일상에서 어떤 문제가 가장 심각하다고 생각합니까? 왜 그렇게 생각합니까?

주차 문제	□	흡연 문제	□	층간 소음 문제	□
쓰레기 문제	□	반려동물 문제	□	기타: ______________	

2. 여러분은 '이웃사촌'이나 '내리사랑'이라는 말을 들어 본 적이 있습니까?

듣기

● **층간 소음에 관한 라디오 캠페인을 듣고 질문에 답하십시오.** 05-1

1. 이 캠페인이 주장하는 내용을 고르십시오.

① 이웃을 사귀자 □　　② 이웃과 소통하자 □　　③ 이웃을 배려하자 □

2. 이웃사촌이라는 말의 의미는 무엇입니까?

이웃과 ________이나 친척처럼 ______________ 지낸다는 의미이다.

3. 들은 내용과 같은 것을 모두 고르십시오.

① 내리사랑은 자녀가 부모를 사랑하는 마음을 말한다. □
② 한국은 인구의 절반 이상이 공동 주택에 살고 있다. □
③ 윗집에 사는 사람들은 층간 소음으로 인한 걱정이 없다. □
④ 층간 소음으로 인한 갈등은 이제 사회 문제가 되고 있다. □

4. 들은 내용을 정리해서 말해 보십시오.

읽기 1

준비하기

1. 공동 주택에서 발생하는 층간 소음에는 어떤 것들이 있습니까?

2. 여러분은 층간 소음을 겪은 적이 있습니까? 그때 어떻게 해결했습니까?

읽기 1-1

● 칼럼을 읽고 질문에 답하십시오.

층간 소음, 그 해결 방법은?

가 한국의 '아파트 사랑'은 1980년대 산업화를 거치면서 시작되었다. 산업화로 인해 도시 인구가 급격히 증가하면서 그들을 위한 주거 공간이 필요했다. 아파트는 도시 인구 증가 문제를 해결하기 위해 최소한의 공간을 최대한 활용하는 구조로 설계되었으며, 이후 한국의 대표적인 주거 형태가 되었다.

나 하지만 아파트는 위아래로 집을 짓기 때문에 층간 소음 문제에서 자유로울 수 없다. 위층의 쿵쿵거리는 발소리, 청소기나 세탁기를 돌리는 소리 등 밤낮없이 들리는 생활 소음은 집에서의 편안한 휴식을 방해한다. 층간 소음은 이웃 간의 갈등으로 이어진다. 이러한 갈등을 중재하는 '층간소음 이웃사이센터'에 최근 3년간 접수된 층간 소음 관련 민원은 총 2만 7773건에 이르는데, 이는 층간 소음으로 인한 갈등이 현재 심각한 상태임을 보여준다.

다 층간 소음은 일회적으로 발생하는 것이 아니라 매일 반복적으로 일어나는 생활 소음이기 때문에 한번 갈등이 생기면 쉽게 사라지지 않는다. 오히려 시간이 갈수록 소음에 집착하게 되면서 이웃 간 갈등이 깊어져 말다툼을 하거나 몸싸움을 벌이기도 한다. 지속적인 층간 소음을 견디다 못해 끔찍한 범죄가 발생하는 경우도 있다. 조사 결과에 따르면 층간 소음으로 인한 범죄는 5년 사이에 열 배나 늘었다고 한다. 이제 층간 소음은 개인 간의 문제가 아니라 심각한 사회 문제가 되었다.

라 층간 소음이 발생하면 먼저 자신을 피해자라고 단정하기보다 객관적으로 상황을 살피려는 자세가 필요하다. 층간 소음을 느끼는 정도는 개인마다 차이가 클 수 있다. 층간 소음으로 인한 피해 신고 현장에 가 보면 신고자의 말과 달리 소음이 크지 않거나 윗집에서 발생한 소음이 아닌 경우도 많다고 한다. 층간 소음은 매일 얼굴을 봐야 하는 가까운 이웃 사이에서 벌어지는 문제인 만큼 감정적으로 대응하지 말고 차분한 태도를 가지고 대화로 해결하려는 노력이 필요하다. 그리고 개인 간의 해결이 어렵다면 중재자를 찾아 도움을 받는 것도 현명한 방법이다.

1. 글을 읽고 알 수 있는 내용을 모두 고르십시오.

① 층간 소음 문제의 현황 □
② 층간 소음 문제의 해결 방안 □
③ 층간 소음 문제를 해결한 사례 □

2. 알맞은 중심 내용을 연결하십시오.

가 •		• 층간 소음의 발생 현황
나 •		• 사회 문제가 된 층간 소음
다 •		• 한국의 대표적인 주거 형태
라 •		• 층간 소음을 해결하기 위한 자세

3. 묻고 대답하십시오.

1) 아파트와 같은 공동 주택의 장점은 무엇입니까?
2) '층간소음 이웃사이센터'는 어떤 일을 하는 곳입니까?
3) 층간 소음으로 인해 이웃 간에 어떤 문제가 생깁니까?
4) 층간 소음이 발생했을 때 객관적으로 상황을 살펴야 하는 이유는 무엇입니까?

4. 다음 표현을 이용하여 읽은 내용을 정리해서 말해 보십시오.

한국의 아파트	산업화 도시 인구 주택 문제
층간 소음 문제	아파트 구조 생활 소음 갈등
올바른 태도	감정적 대응 차분한 태도 중재자

읽기 1-2

● 편지를 읽고 질문에 답하십시오.

704호 할아버지, 할머니에게

안녕하세요. 저는 804호에 사는 김민지예요. 지금 초등학교 1학년이에요. 그리고 제 동생은 김민서인데 6살이에요. 저희가 많이 뛰어서 죄송해요. 엄마가 뛰면 안 된다고 했지만 놀다 보면 자꾸 잊어버려요. 앞으로는 시끄럽지 않게 놀게요. 민서는 아직 글을 못 써서 꽃을 그렸어요. 할아버지랑 할머니 마음에 들었으면 좋겠어요. 안녕히 계세요.

5월 6일 김민지 올림

예쁜 민지랑 민서에게

민지야, 안녕? 아래층에 사는 할머니야. 며칠 전에 민지랑 민서가 엄마 손을 잡고 할머니 집에 왔었지? 그때 민지가 케이크랑 편지를 줬잖아. 민지가 열심히 쓰고 민서가 예쁘게 꽃까지 그린 편지를 보고 할머니랑 할아버지가 얼마나 감동을 받았는지 몰라.

할머니도 민지에게 부탁하고 싶은 게 있어서 편지를 썼어. 그러니까 꼭 들어줘. 민지랑 민서야, 지금처럼 집에서 즐겁게 놀아. 너희가 건강하고 행복하면 할머니하고 할아버지도 기쁠 거야. 그러니까 걱정하지 말고 신나게 놀아. 앞으로 위에서 뛰는 소리가 들리면 오늘도 민지가 동생이랑 즐겁게 논다고 생각할게. 하지만 밤늦은 시간에는 조심해 줘. 그리고 다음에 할머니가 맛있는 거 해 줄 테니까 동생이랑 놀러 와.

1. 다음 표를 완성하십시오.

	편지를 쓴 사람	편지를 쓴 목적
첫 번째 편지		
두 번째 편지		

2. 읽은 내용과 같은 것을 모두 고르십시오.

① 민지는 집에서 뛰면 안 된다는 것을 알고 있다. □

② 민서는 글씨가 예쁘지 않아서 꽃 그림을 그렸다. □

③ 704호 할머니는 민지의 편지를 받고서 크게 감동했다. □

④ 704호 할머니는 민지가 원하면 언제든지 뛰어놀라고 했다. □

3. 함께 이야기해 보십시오.

1) 여러분은 누군가에게 사과의 편지를 보내거나 받은 적이 있습니까?

2) 여러분 나라에서 이웃 간의 갈등을 현명하게 해결한 사례를 찾아 소개해 보십시오.

문법

문법 1 -는 통에

1. 다음 문법의 의미를 생각해 봅시다.

- 위층에서 쿵쿵거리며 **뛰어다니는 통에** 집에서조차 스트레스를 받는 분들이 많습니다.
- 밤새도록 남편이 드르렁드르렁 코를 **고는 통에** 잘 수가 없었다.
- 할아버지는 **전쟁 통에** 가족을 잃고 혼자 남았다.

2. 알맞은 것을 골라 말해 봅시다.

보기	부리다	재촉하다	조르다	✓울다	치다

1) 아기가 밤새 <u>우는 통에</u> 한숨도 못 잤더니 너무 피곤하네요.
2) 그 사람이 고집을 ____________________ 결국 내가 양보할 수밖에 없었어요.
3) 옆집에서 밤늦게까지 피아노를 ____________________ 잠을 설쳤어요.
4) 친구가 늦었다며 빨리 가자고 ____________________ 정신이 없어서 핸드폰을 두고 왔어요.
5) 마트에서 아이가 장난감을 사 달라고 ____________________ 물건도 못 사고 그냥 나왔어요.

3. 다음과 같이 문장을 완성해 봅시다.

1) <u>밖에서 아이들이 시끄럽게 떠드는 통에</u> 공부에 집중하기가 어렵다.
2) ____________________ 집에서 쉴 수가 없다.
3) 무서운 장면이 나올 때마다 ____________________ 영화를 제대로 볼 수 없었다.
4) 여러 사람이 동시에 말하는 통에 ____________________.
5) 퇴근 시간이 지났는데도 전화벨이 계속 울리는 통에 ____________________.

4. 함께 이야기해 봅시다.

1) 다른 사람 때문에 하고 싶은 일에 방해를 받은 적이 있습니까?
2) 이웃 때문에 집에서 휴식을 취하지 못한 경험이 있습니까?
3) 날씨가 너무 안 좋아서 여행이나 행사를 취소한 적이 있습니까?

문법 2 -다 못해

1. 다음 문법의 의미를 생각해 봅시다.

- 지속적인 층간 소음을 **견디다 못해** 끔찍한 범죄가 발생하는 경우도 있다.
- 가정 형편이 어려워 **생각다 못해** 이번 학기에 휴학을 하기로 했다.
- 아내의 잔소리를 **듣다못해** 밖으로 나와 버렸다.

2. 알맞은 것을 골라 써 봅시다.

보기	받다	✓참다	고민하다	견디다	말리다

1) 룸메이트가 며칠째 방 정리를 안 해서 참다못해 오늘 한마디 했다.
2) 엄마는 나와 동생의 싸움을 ________________ 결국 그만하라며 소리를 지르셨다.
3) 몇 해가 지나도 아이가 생기지 않아서 ________________ 병원에서 상담을 받기로 했다.
4) 상사 때문에 스트레스를 ________________ 직장을 그만두는 회사원이 늘고 있다.
5) 마당에 있는 나무가 추위를 ________________ 얼어 죽고 말았다.

3. 다음과 같이 문장을 완성해 봅시다.

1) 동생이 방 정리하는 걸 보다 못한 엄마가 직접 정리하기 시작했어요.
2) ________________ 학생이 결국 학교를 그만두고 말았대요.
3) 딸이 밤늦게까지 오지 않자 기다리다 못한 아버지가 ________________.
4) 배고픔을 견디다 못한 노숙자가 ________________.

4. 함께 이야기해 봅시다.

1) 주변 사람의 행동을 참다못해 화를 낸 적이 있어요?
2) 다른 사람이 하는 것을 보다 못해 직접 나서서 일한 경험이 있어요?
3) 다른 사람의 말을 듣다못해 그만 좀 하라고 말한 적이 있어요?
4) 누군가가 만들어 준 음식을 먹다 못해 버린 경험이 있어요?

5-2 가족 제도의 변화

어휘와 표현 2

1. 다양한 가족 형태에 대해 알아봅시다.

1) 알맞은 단어를 골라 쓰십시오.

가정　　가구　　핵가족　　대가족

①

한 가족으로 이루어진 공동체나 가족들이 생활하는 집

(예) 나의 꿈은 사랑하는 사람과 결혼해서 행복한 ________을 이루는 것이다.

②

부부와 결혼하지 않은 자녀로 이루어진 작은 가족

(예) 이 아파트는 학교와 가까워서 주로 어린 자녀를 둔 ________이 많이 산다.

③

집에서 함께 사는 사람들의 집단을 세는 단위

(예) 우리 동네에는 모두 100 ________ 정도가 살고 있다.

④

조부모, 부모, 자녀 등 여러 세대가 한집에 모여 사는 큰 가족

(예) 우리 집은 할아버지와 할머니, 부모님과 나와 동생까지 3대가 함께 사는 ________이다.

2) 그래프를 보면서 이야기해 보십시오.

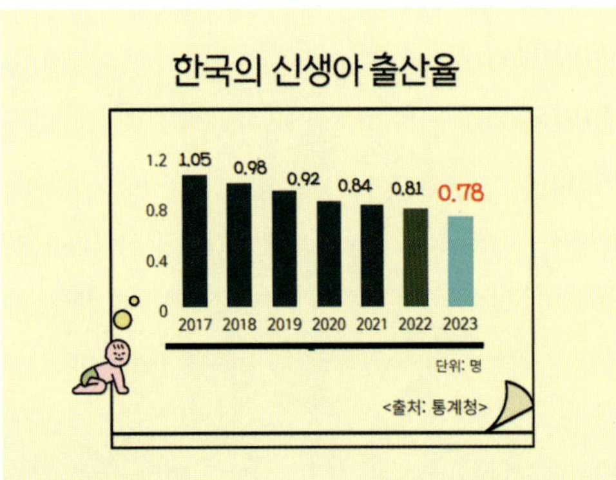

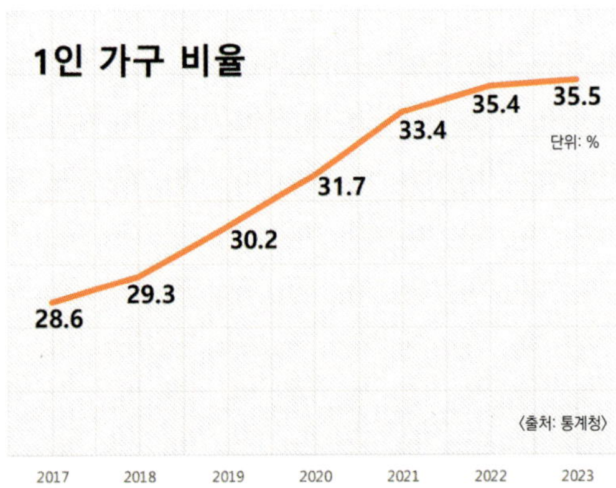

① 그래프에 나타난 한국 사회의 특징은 무엇입니까?
② 왜 이런 변화가 일어난다고 생각합니까?
③ 여러분 나라와 비교하면 어떻습니까?

3) 신문 제목을 보면서 어떤 내용인지 이야기해 보십시오.

2. 결혼 및 출산과 관련된 표현을 알아봅시다.

- 미혼, 비혼 ↔ 기혼 — 약혼하다
- 비혼 출산
- 결혼하다
- 이혼하다
- 재혼하다

- 임신하다 — 출산하다
  - 자연적으로 임신하다
  - 정자, 난자를 기증받다
  - 시험관 시술을 받다
- 유산하다
- 낙태하다

1) 함께 이야기해 보십시오.

① 여러분 나라에서는 결혼 후에 가족 형태가 어떻게 변합니까?

② 여러분 나라에서는 평균적으로 몇 살에 결혼을 합니까?

③ 여러분 나라에서는 임신하거나 출산한 사람에게 어떤 선물을 합니까?

④ 여러분 나라의 비혼이나 이혼에 관한 사회적 인식은 어떻습니까?

⑤ 재혼할 때는 어떤 점을 고려해야 합니까?

2) 알맞은 단어를 골라 쓰십시오.

임산부	정자	유산	기증	낙태권	출산율

① 아이를 낳고 싶지만 임신을 하지 못해서 고통받는 여성들이 적지 않다. 이러한 여성들이 과학의 도움으로 아이를 낳을 수 있는 방법이 있다. 바로 ______________를 ______________받아서 임신과 출산을 하는 것이다. 이런 방법을 시험관 시술이라고 한다.

② 언니는 임신 초기에 건강이 안 좋아서 아이를 ______________하고 말았다. 그 일로 언니는 큰 슬픔에 잠겼다.

③ 나는 여자가 원하지 않는다면 임신한 아기를 인공적으로 없앨 수 있도록 ______________을 보장해야 한다고 생각한다.

④ 인구가 현재 수준을 유지하려면 매년 최소 2.1명 이상의 아이가 태어나야 한다. 그런데 한국의 ______________은 현재 0.7명으로 세계 최하위 수준을 보이고 있다.

⑤ 한국에서는 ______________를 배려하기 위해 지하철이나 버스에 전용 자리를 마련해 놓고 있다.

읽기 2

준비하기

1. 다음 그림은 어떤 가족 형태를 나타내는지 이야기해 보십시오.

무자녀 가구	(노인) 1인 가구	한 부모 가구	다문화 가구
재혼 가구	입양 가구	동거 가구	비혼 출산 가구

①

②

③

④

⑤

⑥

2. 현대 사회에서 나타나는 다양한 가족 형태에 대해 더 말해 보십시오.

읽기

● 기획 기사를 읽고 질문에 답하십시오.

기획 인터뷰 KM 뉴스

"각자 원하는 방식대로 사는 게 정답 아닐까요?"

엄마, 아빠와 자녀로 이루어진 가족이 일반적이라고 생각했던 사람들의 생각이 변화하고 있다.
우리 사회에서 다양한 형태로 살아가고 있는 사람들을 만나 보자.

가 저희는 회사에서 만나 사내 연애를 하다가 결혼한 지 10년 차가 되는 부부입니다. 결혼하면 당연히 아이를 낳아야 한다고 생각하는 사람도 많겠지만, **저희 부부는 부모로서의 삶보다 개인의 발전과 사회적 성공이 더 중요하다고 생각합니다.** 그래서 아이를 갖지 않고 서로의 삶을 존중하며 행복하게 살고 있습니다.

나 자식들이 독립한 뒤에 아내와 둘이 살았는데 몇 년 전에 아내와도 사별했습니다. 아내가 떠나고 나서 처음에는 많이 힘들었지만, 지금은 혼자 사는 삶에 익숙해졌습니다. **배우고 싶었던 악기나 외국어를 배우고 봉사 활동을 하기도 하면서 나름대로 의미 있게 시간을 보내고 있습니다.** 자식들은 같이 사는 게 어떻겠냐고 계속 말하지만 전 혼자 지내는 것이 자유롭고 좋습니다. 나만의 방식으로 살아가는 지금의 삶에 만족합니다.

다 저는 남편과 함께 세 명의 아이들을 키우고 있습니다. 큰아이는 제가 직접 낳았지만 둘째와 셋째는 가슴으로 낳은 아이들입니다. 주변에서는 입양한 사실을 알리지 않는 게 좋겠다고 말했지만, 우리 부부는 입양 사실을 숨길 필요가 없다고 생각해서 처음부터 아이들에게 그 사실을 밝혔습니다. **우리는 혈연보다 더 큰 인연으로 이어졌고 서로를 진심으로 아끼며 사랑하고 있습니다.**

라 저는 아이를 정말 낳고 싶었지만 결혼에는 별 관심이 없었습니다. 그래서 병원에서 정자를 기증받아 아이를 낳았습니다. **아빠 없는 환경이 아이에게 좋지 않을 거라는 주변의 우려가 많았지만, 저는 그건 편견에 불과하다고 생각했습니다.** 그 생각은 지금도 변함없습니다. 가끔 힘들 때도 있지만 아이와 있는 매 순간이 세상을 다 얻은 것처럼 행복합니다. 제가 충분히 사랑을 주는 한 혼자서도 아이를 행복하게 키울 수 있다고 자신합니다.

1. 무엇에 대해 이야기하고 있습니까?

현대 사회에 나타나는 다양한 ________

2. 알맞은 것을 연결하십시오.

가 •	• 입양 가구 •	• 결혼은 별로 하고 싶지 않았지만 아이는 꼭 낳고 싶었다.
나 •	• 무자녀 가구 •	• 아이를 낳아서 기르는 것보다 일을 통해 얻는 성취감이 더 중요하다.
다 •	• 노인 1인 가구 •	• 독립한 자식들과 함께 사는 것보다 혼자 지내는 것이 편하다.
라 •	• 비혼 출산 가구 •	• 직접 낳은 아이와 기른 아이 모두 소중하고 귀하다.

3. 읽은 내용과 같은 것을 모두 고르십시오.

① 가 부부는 결혼하면 당연히 아이를 낳아야 한다고 생각했다. □

② 나 남자는 현재 여러 가지 취미 생활을 하고 있다. □

③ 다 부부는 아이들에게 입양 사실을 모두 밝혔다. □

④ 라 여자는 남편과 이혼하고 나서 아이를 혼자 키우고 있다. □

4. 읽은 내용을 정리해서 말해 보십시오.

듣기 2

준비하기

1. 여러분은 어떤 사람이 비혼 출산을 선택한다고 생각합니까?

2. 알맞은 단어를 골라 쓰십시오.

시선	인식	양육	자발적

1) 아빠 없이 자녀를 출산하고 기르는 것을 비혼 출산이라고 한다. 요즘에는 여성이 스스로 선택하여 ________________으로 비혼을 선택하는 경우도 차츰 늘고 있다.

2) 요즘 젊은이들은 다른 사람의 ____________________을 의식하지 않고 자유롭게 자신의 개성을 표현하는 경우가 많다.

3) 남자는 직장에 다니고 여자는 집안일을 해야 한다는 _______________은 시대에 뒤처진 생각이다.

4) 예전 사람들은 엄마가 아이를 키워야 한다고 생각했지만, 요즘은 엄마와 아빠가 함께 아이를 ________________하는 것이 바람직하다는 쪽으로 사람들의 생각이 바뀌었다.

듣기 2-1

● 개인 방송을 듣고 질문에 답하십시오. ♪ 05-2

1. 누가 이야기를 하고 있는지 고르십시오.

① 얼마 전에 비혼 출산을 한 여성 □ ② 비혼 출산을 고민하는 여성 □

2. 다음 표를 완성하십시오.

질문	답변
비혼 출산을 결심한 ______ 는 무엇입니까?	더 나이가 들면 ______ 는 말을 들어서
비혼 출산에 대한 걱정은 없었습니까?	• 본인에 대해: 걱정이 됐다 ☐ 걱정이 안 됐다 ☐ • 아이에 대해: 걱정이 됐다 ☐ 걱정이 안 됐다 ☐

3. 들은 내용과 같은 것을 모두 고르십시오.

① 이마리 씨는 정자 기증을 받아서 아이를 낳았다. ☐

② 이마리 씨는 사람들이 자신을 이상하게 생각할까 봐 걱정했다. ☐

③ 이마리 씨의 부모님은 아이를 낳겠다는 딸의 결정을 반대했다. ☐

듣기 2-2

● 강연을 듣고 질문에 답하십시오. 05-3

1. 강연의 제목으로 적절한 것을 고르십시오.

① 비혼 출산에 대한 긍정적 의견 ☐ ② 비혼 출산에 대한 부정적 의견 ☐

2. 강연을 들으면서 발표 자료를 완성하십시오.

의견 1	1. 오늘날 가족 개념과 ______가 다양해지고 있다. • 비혼 출산에 대한 한국인의 인식 1) 부정적 인식: 63% 이상 2) 긍정적 인식 -25~29세 여성: 5명 중 4명 -25~29세 남성: 50% 정도
의견 2	2. 출산에 대한 여성의 ______를 존중해야 한다. • 출산은 개인의 결정임. • 여성: 아이를 출산하기 위해 억지로 결혼할 리 없음. • 낙태권과 출산권을 보장해야 함.
의견 3	3. 한쪽 부모가 없어도 아이는 충분히 ______ 자랄 수 있다. • 한 부모 가정에서 아이를 키우는 것은 아이에게 좋지 않은 영향을 준다는 의견 → 사람들의 편견임. • 서로 싸우고 양육에 무관심한 부모도 많음.
의견 4	4. ______ 문제 해결에 도움이 될 수 있다. • 한국은 세계에서 가장 출산율이 낮은 국가임. • 비혼 출산을 부정적으로 볼 이유가 없음.

3. 묻고 대답하십시오.

1) 비혼 출산에 대한 남성과 여성의 인식은 어떻게 다릅니까?
2) 비혼 출산을 찬성하는 사람들은 여성의 어떤 권리를 인정해야 한다고 주장합니까?
3) 비혼 출산으로 태어난 아이가 겪을 수 있는 편견은 무엇입니까?
4) 찬성 입장의 사람들은 저출산 문제를 해결하기 위해서 무엇을 인정해야 한다고 주장합니까?

4. 다음 표현을 이용하여 들은 내용을 정리해서 말해 보십시오.

시대의 흐름	다양한 가족 형태　사람들의 인식 변화
여성의 권리	결정에 대한 존중　출산권
아이의 행복권	편견　무책임한 부모　사랑과 책임감
사회 문제	낮은 출산율　문제 해결

5. 함께 이야기해 보십시오.

1) 여러분은 비혼 출산에 대해 찬성합니까, 반대합니까? 그렇게 생각하는 이유는 무엇입니까?
2) 여러분 나라에서는 비혼 출산이 가능합니까? 비혼 출산에 대한 사람들의 인식은 어떻습니까?

전달력 향상하기

발음에 주의하면서 읽어 보십시오.

1) 조사 결과에 따르면 한국 사람 중 63%가 '비혼 출산에 대해 부정적으로 생각하지 않는다.'라고 <u>답했습니다.</u>
2) 비혼 출산 가구도 다양한 가족 형태 중 하나로 <u>인식해야</u> 한다는 겁니다.
3) 오히려 몸과 마음이 건강한 여성이 아이를 <u>낳고자</u> 한다면 국가에서 적극적으로 지원하는 것이 필요합니다.

문법

문법 3 -는 한

1. 다음 문법의 의미를 생각해 봅시다.

- 제가 충분히 사랑을 주는 한 혼자서도 아이를 행복하게 키울 수 있다고 자신합니다.
- 결혼으로 이루어진 가정만이 일반적이라는 편견이 있는 한 비혼 가정의 아이는 상처를 받게 된다.
- 바쁜 건 알지만 가능한 한 빨리 와 주면 좋겠어.

2. 다음과 같이 문장을 연결해서 써 봅시다.

1) 내가 살아 있는 한 너를 죽을 때까지 사랑할 것이다.

1) 내가 살아 있다 – 너를 죽을 때까지 사랑할 것이다
2) 과거의 일에 집착하다 – 더 이상의 발전은 없다
3) 내가 알다 – 그는 나쁜 짓을 할 사람이 아니다
4) 사랑하는 사람과 함께하다 – 어떤 일이든지 다 해낼 수 있다
5) 포기하지 않다 – 언제가는 원하는 것을 이룰 수 있을 것이다

3. 다음과 같이 대화를 완성해 봅시다.

1) 가: 매달 생활비가 부족한데 언제 돈을 모을 수 있을까?
   나: 절약해서 생활하지 않는 한 돈을 모으기는 힘들 거야.
2) 가: 왜 기숙사에 12시까지 들어와야 해요?
   나: 이건 규칙이야. ______________ 누구나 지켜야 해.
3) 가: 책으로만 배웠는데 현장에 나가서 직접 기술을 배우는 게 낫겠지?
   나: 당연하지. ______________ 실제적인 기술은 배울 수 없어.
4) 가: 오래 알고 지낸 친구라서 제 마음을 알 텐데 제가 꼭 말로 사과를 해야 돼요?
   나: 물론이지요. 아무리 친한 친구라도 ______________ 진짜 속마음은 알 수가 없거든요.

4. 책 제목을 만들어 봅시다.

1) 꿈이 있는 한 포기는 없다.
2) 살아 있는 한 ______________.
3) ______________.
4) ______________.

문법 4 -(으)ㄹ 리 없다

1. 다음 문법의 의미를 생각해 봅시다.

- 결혼을 하고 싶지 않은 여성들이 단지 아이를 낳기 위해 억지로 결혼할 리는 없습니다.
- 숙소가 그렇게 저렴하면 편하고 깨끗할 리 없어요.
- 어제 일어난 사고는 절대 단순한 사고일 리가 없어.

2. 알맞은 것을 골라 말해 봅시다.

보기	✔ 청소하다	좋아하다	일등이다	저질렀다	먹었다

1) 우리 딸은 청소를 너무 싫어하니까 자기 방을 절대로 청소할 리 없어요.
2) 9살 아이가 그렇게 많은 음식을 다 ______________________.
3) 진수 씨는 평소에 공부를 전혀 안 하는데 이번 시험의 ______________________.
4) 그 사람과 이야기를 한 적도 없는데 나한테 호감이 있다고요? 절대 나를 ______________________.
5) 남의 돈을 훔쳤다고요? 우리 착한 아들이 그런 일을 ______________________.

3. 다음과 같이 문장을 완성해 봅시다.

1) 민수는 그동안 마음먹으면 모두 다 성공했으니 이번 일도 절대 실패할 리 없어요.
2) 시험이 내일인데 지금 공부한다고 해서 ______________________.
3) 더러운 운동화를 세제 없이 물로만 빨면 ______________________.
4) 1급 때 배운 어휘인데 이 어휘를 ______________________.
5) 아빠는 술을 마시면 항상 차를 놓고 오시기 때문에, 어제 음주 운전을 ______________________.

4. 일어나지 않을 거라고 단정하는 일에 대해 이야기해 봅시다.

성공하는 사람들	미래 사회
우리 나라 사회	우리 나라 사람들
한국 사회	한국 사람들

> 성공하는 사람들은 아무리 힘들더라도 자신이 하고자 하는 일을 포기할 리가 없습니다.

활동 토론하기 1

준비하기

1. 비혼 출산을 찬성하는 의견을 정리해서 말해 봅시다.

2. 비혼 출산을 반대하는 의견에는 어떤 것이 있을지 생각해 봅시다.

3. 비혼 출산에 대한 반대 근거를 읽어 봅시다.

반대 근거

- 비혼 출산, 특히 자발적 비혼 출산은 아이가 정상적인 가정에서 행복하게 살 권리인 행복권을 침해할 수 있다.
- '아버지가 없는 아이'라는 사람들의 편견 때문에 아이는 상처를 받게 될 것이다.
- 인간의 상품화를 일으킨다. 외모, 학력, 지능, 인종 등을 고려해서 정자를 선택하는 것은 맞춤형으로 아기를 만드는 행위이기 때문이다.
- 비혼 출산이 일반화되면 사람들은 더 좋은 유전자를 가진 정자를 사고 싶어할 것이다. 그러나 그 수가 충분하지 않기 때문에 불법적인 방법으로 매매가 이루어질 가능성이 높아진다.
- 비혼 출산으로 태어난 아이는 성장하면서 자연스럽게 아버지에 대해 궁금증을 가지게 된다. 특히 사춘기 때 '나는 어떻게, 왜 태어났는지'에 대해 궁금해 하면서 정체성의 혼란에 빠질 가능성이 크다.

4. 위의 근거에 대한 반론을 써 봅시다.

반론

- 엄마가 충분히 사랑을 주는 한 혼자서도 아이를 잘 키울 수 있다. 양 부모가 있어도 매일 싸우거나 양육에 무관심하다면 아이는 그런 가정에서 결코 행복할 수 없다.
- ______________________________.
- ______________________________.
- ______________________________.
- ______________________________.

활동하기 1

1. 주장과 반론을 연결해서 말해 봅시다.

주장 말하기	근거 말하기
• 저는 ~에 찬성/반대합니다 • 저는 -다고 봅니다/생각합니다	• -다는 점에서 -다고 생각합니다 • -기 때문에 -다고 생각합니다 • 에 의하면 -다고 합니다

주장에 반대하기	주장에 동의하기
• 저는 -다는 의견에 반대합니다/동의할 수 없습니다 • -다고 해서 -는 것은 아닙니다	• 저도 -다는 의견에 (부분적으로) 동의합니다

2. 비혼 출산에 대한 자신의 태도를 정하고, 찬성 팀과 반대 팀으로 나누어 모여 봅시다.

3. 팀별로 추가 근거를 더 찾아서 정리해 봅시다.

4. 상대 팀 의견에 대한 반론을 준비해 봅시다.

활동하기 2

1. 찬성 팀과 반대 팀으로 나누어 토론해 봅시다.

※ 원활한 토론 진행을 위한 방법

- 토론을 문제 없이 진행하기 위해서 사회자를 정하는 것이 좋음.
- 사회자는 토론자가 말하는 횟수를 정하여 공평하게 발언하게 함.
- 적당한 근거 자료로 논리적으로 반론했을 때 추가 점수를 주는 식으로 토론 참여를 높일 수 있음.

2. 함께 이야기해 봅시다.

1) 오늘 가장 활발하게 토론에 참여한 사람을 뽑아 봅시다.

2) 오늘 토론에서 잘한 점과 보완해야 할 점을 말해 봅시다.

06

환경과 인간

6-1 / 환경 오염과 피해

어휘·표현 1	환경 오염 관련 표현
듣기 1	기후 문제에 관한 다큐멘터리 내레이션
읽기 1	기후 재난에 관한 블로그 글
문법	-(으)ㄴ 나머지, 은/는 물론

6-2 / 환경 보호와 실천

어휘·표현 2	환경 보호 관련 표현
읽기 2	재생 도시 홈페이지 안내문
듣기 2	생태 공원에 관한 발표
문법	-(으)ㄹ 틈이 없다, -(으)ㅁ에도 불구하고

활동 1분 스피치하기

1. 환경 오염의 종류에는 어떤 것들이 있습니까?

2. 환경 오염을 일으키는 행동에는 어떤 것들이 있습니까?

6-1 환경 오염과 피해

어휘와 표현 1

1. 환경 오염과 관련된 표현에 대해 알아보고, 알맞은 단어를 골라 쓰십시오.

환경 오염

- 수질 오염
- 토양 오염
- 대기 오염
- 방사능 오염

1)	2)	3)	4)

1) 알맞은 것을 연결하십시오.

수질 오염	•	•	방사능 물질
토양 오염	•	•	생활 하수, 산업 폐수
대기 오염	•	•	농약, 화학 비료
방사능 오염	•	•	매연, 배기가스, 온실가스, 메탄가스

2) 함께 이야기해 보십시오.

① 생활 하수의 종류에는 어떤 것들이 있습니까?
② 토양 오염을 일으키는 원인에는 어떤 것들이 있습니까?
③ 원자력 발전소의 위험성은 무엇입니까?
④ 전기 자동차를 친환경 차라고 하는 이유는 무엇입니까?

2. 환경 오염으로 인해 생긴 다양한 환경 문제에 대해 이야기해 보십시오.

이상 기후 현상이 나타나다	→	동식물의 서식지가 변하다
빙하가 녹다	→	해수면이 상승하다
개체 수가 감소하다	→	멸종 위기에 처하다
자원이 고갈되다	→	에너지 위기에 처하다

1) 이상 기후 현상에는 어떤 것들이 있습니까?
2) 동식물의 서식지가 변하는 이유는 무엇입니까?
3) 어떤 동물이 멸종 위기에 처했습니까?
4) 재생 에너지를 개발해야 하는 이유는 무엇입니까?

3. 변화와 관련된 표현을 알아봅시다.

1) 알맞은 단어를 골라 쓰십시오.

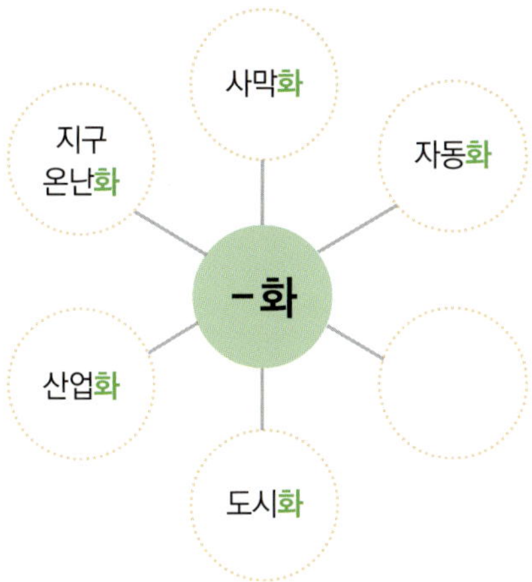

① (   ) 기후 변화로 인해 가뭄이 계속되어 기름진 땅이 쓸모없는 땅으로 변하는 현상을 말한다.

② (   ) 인구 집중으로 인해 도시 문화가 도시 이외의 지역으로 발전·확대되는 현상을 말한다.

③ (   ) 온실 기체로 인해 지구의 지표면 온도가 상승하는 현상을 말한다.

④ (   ) 제어 시스템의 발달로 사람의 노동력에 의존하지 않고 기계가 자동적으로 작업을 하는 것을 말한다.

2) 함께 이야기해 보십시오.

① 지구 온난화가 생기는 원인은 무엇입니까?
② 현재 사막화가 진행되고 있는 지역은 어디입니까?
③ 도시화로 인해 발생하는 문제는 무엇입니까?

듣기 1

준비하기

1. 여러분은 북극곰에 대해 무엇을 알고 있습니까?

2. 다음을 보면서 질문에 답하십시오.

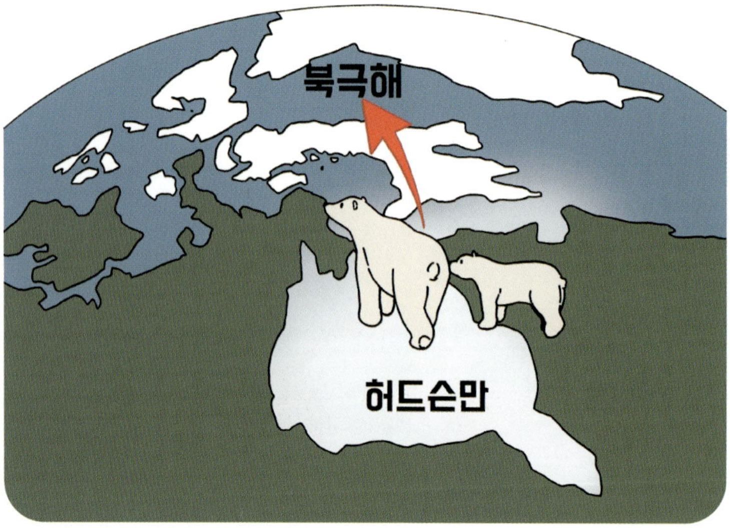

서식지	북극해 근처 섬과 바닷가 주요 서식지: 캐나다 허드슨만 지역
먹이	여름: 해조류, 풀, 작은 동물 등 겨울: 바다표범, 바다사자 등
겨울 사냥법	영하 50도 아래로 기온이 떨어져 허드슨만 주변 바다가 얼기를 기다림. 얼어 있는 바다를 지나 북극에 가서 먹이를 사냥함.

1) 북극곰의 서식지는 어디입니까?
2) 북극곰은 여름과 겨울에 무엇을 먹습니까?
3) 북극곰은 겨울에 어떻게 먹이를 잡습니까?

듣기

● 기후 문제에 대한 내레이션을 듣고 질문에 답하십시오. 06-1

1. 무엇에 대해 이야기하고 있는지 고르십시오.

① 인간의 노력으로 어려움을 극복한 북극곰 □

② 지구 온난화로 인해 생존 위기에 처한 북극곰 □

2. 다음 표를 완성하십시오.

북극곰이 겪는 어려움	북극에 가지 못해서 ______를 얻을 수 없다.
어려움을 겪는 이유	허드슨만이 ______가 늦어지고, 지구 온난화로 인해 ______가 줄고 있다.
	장시간 ______기가 어렵다.

3. 들은 내용과 같은 것을 모두 고르십시오.

① 캐나다 허드슨만은 북극곰이 많이 서식하는 장소 중의 하나이다. □

② 북극곰은 10월에 열매와 해초류를 먹기 위해 북극으로 이동한다. □

③ 지구 온난화로 인해 북극곰은 멸종 위기 동물로 등록될 예정이다. □

④ 지구 온난화를 막기 위해 '파리 기후 변화 협정'을 맺었다. □

4. 들은 내용을 정리해서 말해 보십시오.

읽기 1

준비하기

1. 자바섬은 어디에 위치하고 있습니까?
2. 사진 속 자바섬의 모습은 어떻습니까?

읽기 1-1

● '가라앉는 섬'에 관한 글을 읽고 질문에 답하십시오.

저는 인도네시아 자바섬에 살고 있는 산지아 더트입니다. 제가 살고 있는 곳은 푸른 바다로 둘러싸인 아름다운 섬이에요. 그런데 이 섬이 점점 작아지고 있어요. 제가 살고 있는 섬 주변의 산호섬 두 개도 이미 바닷물에 잠겼고요. 뉴스에서는 수도인 자카르타(Jakarta)도 계속 가라앉고 있기 때문에 수도를 다른 곳으로 옮긴다고 해요. 저는 이 섬에서 언제까지 살 수 있을까요? 제가 사는 이곳이 영영 사라지는 건 아닐까요?

1. 산지아 더트가 살고 있는 지역은 어떤 곳입니까?
2. 산지아 더트는 무엇을 걱정하고 있습니까?

읽기 1-2

● 기후 재난에 관한 블로그 글을 읽고 질문에 답하십시오.

가라앉는 섬들, 그리고 우리의 미래는?

가 얼마 전 우연히 잡지에서 인도네시아 자바섬에 사는 아이의 인터뷰를 읽었다. 인터뷰 속 어린아이가 삶의 터전이 사라지는 것을 걱정하는 현실이 매우 안타까웠다. 자바섬뿐 아니라 태평양과 인도양의 여러 섬들도 비슷한 상황에 처해 있다고 한다. 왜 이렇게 많은 섬들이 가라앉고 있는 것일까?

나 이런 문제를 일으키는 주요 원인은 환경 오염과 밀접한 관계가 있다. 산업화 이후 화석 연료를 사용해 생산 활동을 하면서 이산화 탄소나 메탄가스 같은 온실가스가 급격히 증가하였다. 온실가스는 지구 온난화 문제를 일으키는데 이로 인해 북극과 남극의 빙하가 녹으면서 해수면이 상승하게 되었다. 즉, 해수면 상승으로 섬들이 가라앉는 것이다. 게다가 무분별한 도시 개발과 산림 파괴도 이런 상황을 가속화시켰다. 그래서 '온실가스 배출을 막지 않으면 머지않아 10억 명 이상이 생활 터전을 잃게 될 것'이라고 전문가들은 경고한다.

다 지구 온난화 문제를 해결하기 위해 각국은 다양한 노력을 기울이고 있다. 온실가스 배출량을 줄이기 위해 태양광, 풍력, 수력 발전 같은 재생 에너지 개발에 힘쓰고 있다. 또한 온실가스 감축에 필요한 제품, 즉 친환경 제품이나 전기 자동차 등을 개발하는 데도 지원을 아끼지 않고 있다. 국제 사회 또한 협약을 맺어 환경 오염을 일으키는 원인을 제거하고 환경을 보존하기 위해 노력 중이다. 대표적인 협약으로 1992년 체결된 '기후 변화 협약', 2015년 '파리(Paris) 협정' 등을 들 수 있다.

라 그러나 국가의 노력만으로는 모든 문제를 해결할 수 없다. 국가는 물론 개개인의 실천 역시 중요하다. 그동안 사람들은 환경을 보호하는 방안에 대해 오랜 시간 고민해 왔다. 더 이상 머릿속으로만 고민하는 건 의미가 없다. 에너지 소비를 줄이고, 재활용을 생활화하며, 친환경 제품을 사용하는 것, 더불어 환경 보호 단체에 참여하거나 기부하는 것 등을 직접 행동으로 옮기며 실천해야 한다. 또한 환경 문제를 특정한 지역의 문제로만 여기는 '강 건너 불구경'하는 태도도 버려야 한다. 기후 변화에 따른 각종 재난이 우리에게도 곧 닥칠 수 있다는 위기의식을 공유하고 지금 당장 행동에 나서야 할 때이다.

1. 무엇에 대해 이야기하고 있습니까?

지구 온난화 문제와 해결을 위한 ______ 와 ______ 의 노력

2. 알맞은 중심 내용을 연결하십시오.

가 •		• 환경 보호를 위한 개인의 노력
나 •		• 환경 보호를 위한 국제 사회의 노력
다 •		• 가라앉는 섬의 현 상황
라 •		• 섬이 가라앉는 원인

3. 묻고 대답하십시오.

1) 온실가스가 급격하게 증가한 원인은 무엇입니까?
2) 섬들이 가라앉는 현상을 가속화시키는 요인은 무엇입니까?
3) 환경 보호를 위한 국제 협약에는 어떤 것들이 있습니까?
4) 환경 문제를 해결하기 위해 개인은 어떤 노력을 해야 합니까?

4. 다음 표현을 이용하여 읽은 내용을 정리해서 말해 보십시오.

문제	섬 가라앉다 터전 잃다
원인	지구 온난화 해수면 상승 도시 개발 산림 파괴
방안	국가의 노력 개인의 노력

5. 함께 이야기해 보십시오.

1) 가라앉는 섬이 더 있는지 찾아보고 이야기해 보십시오.
2) 가장 시급하게 해결해야 하는 환경 문제는 무엇이라고 생각합니까?
3) 생활 속에서 실천할 수 있는 해결 방법에는 어떤 것들이 있다고 생각합니까?

문법

문법 1 -(으)ㄴ 나머지

1. 다음 문법의 의미를 생각해 봅시다.

- 북극곰은 먹이를 **먹지 못한 나머지** 굶어 죽었어요.
- 어머니는 아들의 합격 소식에 너무나 **기쁜 나머지** 눈물까지 보였다.
- 지수는 밤을 **새운 나머지** 다음 날 지각하고 말았다.

2. 알맞은 것을 연결한 뒤에 말해 봅시다.

1) 회의에 집중한 나머지 점심시간이 지난 줄도 몰랐어요.

1) 회의에 집중했다 •	• 지갑을 놓고 왔다
2) 너무 서둘렀다 •	• 정신을 잃고 쓰러졌다
3) 남편은 지나치게 일에만 몰두했다 •	• 자신의 건강을 돌보는 일을 잊었다
4) 어머니는 아들의 사고 소식에 충격을 받았다 •	• 점심시간이 지난 줄도 몰랐다

3. 다음과 같이 문장을 완성해 봅시다.

1) 

소금을 너무 많이 넣은 나머지 음식이 짜서 먹을 수가 없다.

2) 

시험을 앞두고 너무 긴장한 나머지 ______________________.

3) 

발표 내용을 잊어 버려서 너무 당황한 나머지 ______________.

4) 

______________________________ 배탈이 나고 말았다.

5) 

______________________________ 크게 소리를 지르고 말았다.

4. 기사를 보고 다음과 같이 말해 봅시다.

1)

가수 K, 교통사고 후 도주

너무 당황해서 도망갔다가 한 시간 뒤에 돌아와

→ 가수 K 씨가 교통사고를 내고 도주했다고 합니다. 너무 당황한 나머지 도망갔다가 한 시간 뒤에 돌아왔다고 합니다.

2)

부모가 방치, 여섯 살 아이 일주일 굶어

너무 배가 고파서 집 근처 마트에서 빵을 훔쳐

→ ______

3)

유명 가수, 깜짝 사인회 열어

팬들, 너무 놀라 비명을 지르고 쓰러져

→ ______

4)

수영 선수, 어깨 다쳐 병원에

올림픽 첫 메달, 너무 기뻐서 아픈지도 몰라

→ ______

문법 2 은/는 물론

1. 다음 문법의 의미를 생각해 봅시다.

- 환경을 보호하기 위해서는 **국가는 물론** 개개인의 실천 역시 중요하다.
- 이 가게는 음식이 맛있다고 소문이 나서 **주말은 물론** 평일에도 손님이 붐빈다.
- 그 마을은 태풍의 피해로 **교통이 끊긴 것은 물론** 통신도 두절되었다.

2. 다음과 같이 말해 봅시다.

1) 가: 김치가 세계적으로 사랑받는 이유가 뭘까요? (맛 + 건강에도 좋다)
   나: 맛은 물론 건강에도 좋아서요.
2) 가: 사고 소식을 듣고 누가 왔어요? (희생자의 가족 + 취재진도 달려왔다)
3) 가: 요즘 명절이라 택배 회사는 주말에도 못 쉰다면서요? (토요일 + 일요일에도 일할 때가 많다)
4) 가: 홍수 피해 복구를 위해 사람들이 협력했다면서요? (지역 주민들 + 많은 자원봉사자가 도우러 왔다)

3. 다음과 같이 문장을 완성해 봅시다.

1) 옷을 살 때는 디자인은 물론 가격도 생각해서 구입해야 한다.
2) 비가 많이 와서 ________________ 속옷까지도 젖었어요.
3) 도심지는 ________________ 낮에도 자주 길이 막힌다.
4) 이 영화는 ________________ 어른들까지도 재미있게 볼 수 있는 작품이다.

4. 함께 이야기해 봅시다.

1) 여러분 나라에는 세계적으로 유명한 문화유산이 있습니까? 소개해 주십시오.
2) 여러분 나라에서 가장 높은 평가를 받는 영화는 어떤 영화입니까? 그 영화는 어떤 면에서 대중들에게 높은 평가를 받습니까?
3) 여러분 나라에서 많은 국민으로부터 존경받는 인물은 누구입니까? 그 사람이 존경받는 이유는 무엇입니까?

6-2 환경 보호와 실천

어휘와 표현 2

1. 환경 보호와 관련된 표현을 알아봅시다.

개인적 차원	사회적 차원

절약하다 / 낭비를 줄이다 기부하다 / 기증하다 재활용하다 / 재사용하다 나눔을 실천하다 / 환경친화적인 삶을 살다	복원하다 규제를 강화하다 관련 법을 마련하다 훼손된 자연을 복구하다

1) 환경을 보호하기 위해서 우리가 할 수 있는 일은 무엇입니까?
2) 사람들이 중고 거래를 하는 이유는 무엇입니까?
3) 여러분 나라에서 자연을 복구한 예가 있습니까?
4) 환경을 보호하기 위한 규제에는 어떤 것이 있습니까?

2. 지역 개발과 관련된 표현을 알아봅시다.

문제		해결
지역 인구가 감소하다 시설이 노후되다 시설이 방치되다 도로가 협소하다	→	환경을 개선하다 시설을 리모델링하다 지역 경제를 활성화하다 도로를 확장하다

1) 우리가 살고 있는 지역에는 어떤 문제가 있습니까?
2) 그 문제를 해결하려면 어떻게 해야 합니까?
3) 지역을 개발하는 과정에서 생길 수 있는 문제에는 어떤 것이 있습니까?

3. '다시 하다' 라는 의미를 나타내는 어휘를 알아봅시다.

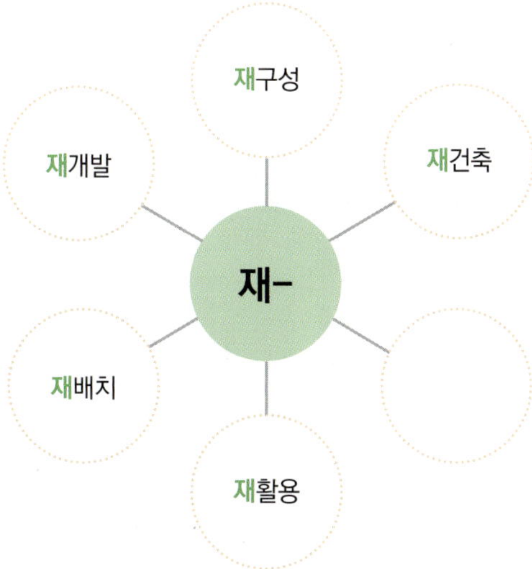

1) 알맞은 단어를 골라 쓰십시오.

① 물건을 다시 사용하는 것
예) 음식물 쓰레기를 ________________하여 가축의 사료로 사용한다.

② 사람이나 물건을 일정한 자리에 다시 놓는 것
예) 이사를 하면서 방의 책상과 침대를 ________________했더니 방이 아주 넓어졌다.

③ 기존의 낙후된 지역을 개발하여 주거 환경을 바꾸는 것
예) 낙후된 마을 전체를 ________________하여 현대적으로 주거 환경을 바꾸었다.

④ 기존에 있던 건축물을 다시 세우거나 쌓아 만드는 것
예) 지진을 대비하기 위해 낡고 위험한 건물을 ________________하기로 결정했다.

⑤ 한 번 구성하였던 것을 다시 새롭게 구성하는 것
예) 이 책은 고전 작품을 만화로 ________________하여 만들었다.

2) 함께 이야기해 보십시오.

① 재활용이 가능한 쓰레기는 무엇입니까?
② 교실의 물건을 어떻게 재배치하면 좋을 것 같습니까?
③ 책을 재구성해서 영화로 만든 예에는 어떤 것이 있습니까?
④ 기존의 공간을 재건축하여 새로 만들어진 곳이 있습니까?

읽기 2

준비하기

1. 여러분은 오래되고 방치된 건물이나 집을 본 적이 있습니까?
2. 환경 파괴를 줄이면서 오래된 도시나 마을을 재개발하려면 어떻게 해야 합니까?

읽기

● 감천 문화마을 홈페이지 안내문을 읽고 질문에 답하십시오.

'감천 문화마을'을 소개합니다!

감천 문화마을의 역사

부산에 위치한 감천 문화마을은 1950년 무렵부터 6·25 전쟁의 피난민이 집을 짓고 작은 마을을 이루어 살면서 생겨났습니다. 물이 달고 맛있다는 '감천'이라는 이름에서 알 수 있듯이 감천 문화마을은 물 맑고 자연이 아름다운 마을이었습니다.

그러나 시간이 흐르면서 인구 감소와 더불어 집들은 노후되었고, 2007년 무렵에는 원래 있던 집들을 없애고 재개발을 진행해야 하는 상황에 처했습니다. 이런 상황에서 마을의 역사적 가치를 지키려는 부산 지역의 예술가와 주민은 힘을 합쳐 마을을 보존하고 복원하기로 결심했습니다. 그래서 2009년에 '마을 미술 프로젝트'를 진행했고 이를 통해서 지금의 알록달록한 벽화 마을로 재탄생하게 되었습니다. 그 결과 현재 감천 문화마을은 해마다 300만 명이 찾는 부산의 대표적인 관광지로 자리 잡았습니다.

감천 문화마을의 즐길 거리

감천 문화마을에 가면 심심할 틈이 없습니다. 마을에서는 감천의 옛 사진을 전시해 놓은 '작은 박물관'을 운영하고 있습니다. 이뿐만 아니라 노후된 건물을 리모델링해서 만든 문화 공간도 있습니다. 작년 8월 초 정식으로 문을 연 '감내어울터'가 그곳인데요. 시설이 낡아서 찾는 사람이 거의 없었던 목욕탕을 갤러리로 리모델링했는데 우리 마을의 최고 자랑입니다.

4층 옥상에는 전망대도 있어서 감천 문화마을을 한눈에 내려다 볼 수 있으니 꼭 한번 들러 보세요. 그리고 관광객을 위한 종합 관광 센터와 공식 기념품을 살 수 있는 가게, 오래된 건물을 활용한 특색 있는 카페와 식당들도 영업을 하고 있어서 걷고, 먹고, 마시며, 즐기기에 부족함이 없습니다. 한번 와 보시면 후회 안 하실 겁니다.

부산에 오시면 '한국의 산토리니(Santorini)'로 불리는 이곳, 감천 문화마을을 꼭 방문해 주세요. 도심 속 자연, 그리고 동네와 사람을 잇는 소통의 공간으로 재탄생한 감천 문화마을에서 아름다운 자연과 역사 그리고 문화를 즐길 수 있답니다!

1. 이 글을 쓴 목적은 무엇입니까?

감천 문화마을에 대해서 ______ 하려고

2. 다음 표를 완성하십시오.

1950년	6.25 전쟁의 ______ 이 집을 짓고 마을을 이루었다.
2007년	원래 있던 집들을 없애고 ______ 을 하게 될 상황이었다.
2009년	마을 미술 프로젝트를 진행하면서 ______ 로 재탄생했다.
현재	해마다 300만 명이 찾는 부산의 ______ 로 자리 잡았다.

3. 읽은 내용과 같은 것을 모두 고르십시오.

① 감천 문화마을의 벽화 작업은 2007년에 이루어졌다. ☐
② 감천 문화마을의 복원은 정부 주도로 이루어졌다. ☐
③ 작은 박물관에서는 감천의 옛 모습을 볼 수 있다. ☐
④ 감내어울터는 목욕탕을 리모델링한 곳이다. ☐

4. 읽은 내용을 정리해서 말해 보십시오.

듣기 2

준비하기

1. 여러분은 '생태 공원'이라는 말을 들어 본 적이 있습니까?

2. '하늘공원'에 가 본 적이 있습니까? 과거와 현재 모습이 어떻게 다릅니까?

과거

현재

듣기

● 생태 공원에 관한 발표를 듣고 질문에 답하십시오. 06-2

1. 무엇에 대해 발표하고 있습니까?

난지도가 ______ 으로 ______ 하게 된 과정

2. 발표 내용을 순서대로 나열하십시오.

(가) 환경 보호를 위한 인식과 실천

(나) 난지도가 쓰레기 섬이 된 이유

(다) 난지도의 생태 공원 조성 과정

(라) 난지도라는 이름의 본래 의미

(라) – ( ) – ( ) – ( )

3. 묻고 대답하십시오.

1) 난지도라는 이름은 원래 어떤 뜻이었습니까?
2) 이곳은 왜 쓰레기 섬으로 불리게 되었습니까?
3) 이곳에 쓰레기가 쌓이면서 어떤 문제가 생겼습니까?
4) 환경 재생 후 난지도는 어떤 장소로 유명해졌습니까?
5) 이 사람이 발표를 준비하면서 깨달은 점은 무엇입니까?

4. 다음 표현을 이용하여 들은 내용을 정리해서 말해 보십시오.

난지도	꽃 섬	하늘공원	탈바꿈	
쓰레기 섬	매립	환경 오염	악취	해충
생태 공원	훼손	복구	환경 보호	실천

5. 함께 이야기해 보십시오.

1) 여러분 나라에서는 쓰레기를 어떻게 처리하고 있습니까?
2) 여러분 나라에서 훼손된 환경을 복구한 사례가 있습니까?
3) 하늘공원처럼 환경을 재생한 사례를 찾아 소개해 보십시오.

전달력 향상하기

발음에 주의하면서 읽어 보십시오.

1) 난지도는 '아름다운 꽃이 자라는 꽃 섬'이라는 뜻입니다.
2) 꽃말은 꽃에 대한 이해를 돕고 꽃의 판매에도 도움이 된다.
3) 왜 우리 엄마들은 꽃만 보면 사진을 찍을까?

문법

문법 3 -(으)ㄹ 틈이 없다

1. 다음 문법의 의미를 생각해 봅시다.

- 마을에는 박물관 등 다양한 문화 공간이 있어서 **심심할 틈이 없습니다.**
- 명절이 되니 기차역이 사람들 때문에 **발 디딜 틈이 없다.**
- 정해진 기간 내에 보고서를 제출해야 하기 때문에 요즘 **쉴 틈이 없다.**

2. 알맞은 것을 연결한 뒤에 말해 봅시다.

1) 신제품 생산을 위해 직원들이 밤낮으로 일하느라 쉴 틈이 없어요.

1) 신제품 생산을 위해 직원들이 밤낮으로 일하느라 •	• 쉬다
2) 이 영화는 긴장감이 넘쳐서 보는 동안 •	• 끼어들다
3) 점심시간이 되자 배달 주문이 밀려서 •	• 지루하다
4) 그 친구가 혼자 계속 말해서 •	• 화장실에 가다

3. 다음과 같이 문장을 완성해 봅시다.

1) 보고서 제출이 코앞이라서 잠시도 쉴 틈이 없다.
2) 어린아이들을 돌보느라 밥도 ____________________.
3) 요즘 과제가 너무 많아서 친구와 ____________________.
4) 이 공연은 무대가 화려해서 보는 동안 다른 생각을 ____________________.
5) 주말이 되자 놀이공원에 사람들이 너무 많아서 ____________________.

4. 함께 이야기해 봅시다.

1) 밥 먹을 틈도 없이 바쁠 때는 언제예요?
2) 지루할 틈이 없이 재미있게 본 프로그램이 있어요?
3) 무슨 일을 할 때 딴생각할 틈도 없이 시간이 빨리 가요?

문법 4 -(으)ㅁ에도 불구하고

1. 다음 문법의 의미를 생각해 봅시다.

- 쓰레기 매립지가 열 곳이나 **있었음에도 불구하고** 인구가 급증하면서 매립지가 더 필요하게 되었다.
- 아버지는 허리 통증이 **심해짐에도 불구하고** 치료를 받지 않으려고 하신다.
- 실내 기온이 **35도임에도 불구하고** 에어컨을 사용하지 않는다.

2. 알맞은 것을 연결한 뒤에 써 봅시다.

1) 환경 오염이 점점 심해짐에도 불구하고 사람들은 심각성을 깨닫지 못하고 있다.

1) 환경 오염이 점점 심해지다 •	• 경기에 출전했다
2) 그 사람은 집이 있다 •	• 취업을 하지 못하고 있다
3) 그는 명문대 출신이다 •	• 친구 집에서 지내고 있다
4) 재료 값이 많이 올랐다 •	• 식당은 음식 값을 그대로 유지했다
5) 그 선수는 부상이 회복되지 않았다 •	• 사람들은 심각성을 깨닫지 못하고 있다

3. 다음과 같이 문장을 완성해 봅시다.

1) 이 작가는 글솜씨가 뛰어남에도 불구하고 인기가 별로 없다.
2) 갑자기 소나기가 쏟아짐에도 불구하고 ________________.
3) 김 사장은 ________________ 무리하게 사업을 확장하고 있다.
4) 그는 면접시험에서 ________________ 침착하게 대답했다.

4. 함께 이야기해 봅시다.

1) 다른 사람이 반대해도 포기하지 않은 일이 있어요?
2) 시간이 없어도 꼭 챙겨서 하는 일이 있어요?
3) 모든 것을 완벽하게 준비했지만 결과가 안 좋은 일이 있었어요?

활동 1분 스피치하기

준비하기

1. 환경 보호를 위한 생활 습관을 점검해 보고, 같이 이야기해 봅시다.

항목	항상 그렇다 (3점)	가끔 그렇다 (2점)	아니다 (1점)
① 잔반을 남기지 않는다.			
② 겨울철에 내복을 입는다.			
③ 샤워를 10분 이내에 한다.			
④ 일회용품을 사용하지 않는다.			
⑤ 비닐봉지 대신 장바구니를 사용한다.			
⑥ 가능하면 에어컨 대신 선풍기를 사용한다.			
⑦ 겨울에는 문풍지와 같은 단열재를 사용한다.			
⑧ 사용하지 않는 가전제품의 플러그를 뽑아 둔다.			
⑨ 가까운 거리는 도보나 자전거를 이용해 이동한다.			
⑩ 재활용이 가능한 유리병, 캔 등은 분리해서 배출한다.			
나의 환경친화적 생활 점수	( )점		

◎ 점검 결과

28 ~ 30점: 환경을 중요하게 생각하며 실제로 실천하고 있는 사람
20 ~ 27점: 환경친화적인 삶에 대해 알지만 실천력이 약간 부족한 사람
19점 이하: 환경을 보호하기 위해 노력해야 하는 사람

2. 환경을 보호할 수 있는 방법을 추가로 찾아봅시다.

구체적인 방법
- 무공해 농산물 구매하기 - 일주일에 한 번 채식하기 - 모바일 영수증/청구서 신청하기 - 지역에서 나오는 먹거리 소비하기 - -

활동하기

1. 환경 보호와 관련된 1분 스피치 동영상을 찾아보고 이야기해 봅시다.

1) 영상에서는 무엇에 대해 이야기하고 있습니까?
2) 발표자의 실천 방법은 무엇입니까?

2. 다음 구성에 따라 1분 스피치를 위한 원고를 써 봅시다.

1) 환경에 나쁜 영향을 미치는 습관을 돌아볼 수 있는 내용을 포함한다.
2) 우리의 일상생활에서 환경친화적 삶을 실천하는 방법을 포함한다.
3) 우리의 잘못된 습관으로 고통받는 자연과 다른 사람의 입장을 생각해 볼 수 있는 내용을 포함한다.
4) 발표 내용을 전달할 수 있는 사진이나 그림을 준비한다.

예) 저는 종이컵을 많이 자주 사용합니다. 하지만 종이컵 대신 텀블러를 사용하는 게 좋다고 생각합니다. 계속 종이컵을 쓴다면 ...

3. 1분 스피치를 해 봅시다.

※ 1분 스피치를 할 때 주의 사항

1) 주장하는 것(결론)을 처음에 말해야 함.
2) 주장의 이유를 간결하게 말해야 함. 하나 또는 두 개 정도면 충분함.
3) 주장을 뒷받침할 때 자신의 이야기를 예로 들면 좋음.
4) 마지막에 결론을 다시 정리해서 말하는 게 좋음. 의미는 같으나 표현을 달리하는 것이 효과적임.

4. 스피치를 듣고 소감을 나누어 봅시다.

1) 가장 인상적인 발표는 무엇입니까?
2) 왜 그렇다고 생각합니까?

07 전통의 계승

7-1 / 궁중 음식의 변화

어휘·표현 1	한식 관련 표현
듣기 1	궁중 음식에 관한 대화
읽기 1	떡볶이의 유래와 변화에 관한 설명문
문법	-(으)려던 참이다, 을/를 불문하고

7-2 / 판소리의 계승

어휘·표현 2	문화 전승 관련 표현
읽기 2	판소리 공연에 관한 설명문
듣기 2	판소리계 소설 <토끼전>에 관한 강연
문법	-는/(으)ㄴ 동시에, -(으)ㄴ 끝에

활동 문학 작품 개작하기

1. 여러분은 평소 전통문화에 관심을 가지고 있습니까?

2. 여러분은 '한국의 전통문화'라고 하면 무엇이 떠오릅니까?

7-1 궁중 음식의 변화

어휘와 표현 1

1. 한식의 종류와 관련된 표현을 알아봅시다.

1) 알맞은 단어를 골라 쓰십시오.

궁중 음식　　사찰 음식　　제례 음식　　향토 음식　　퓨전 음식

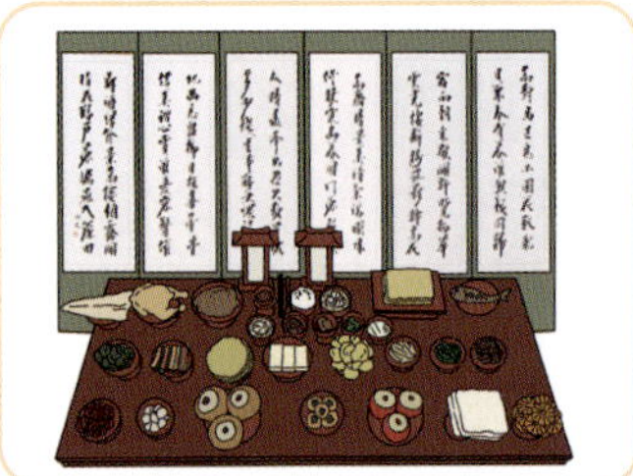

①

②

③

④

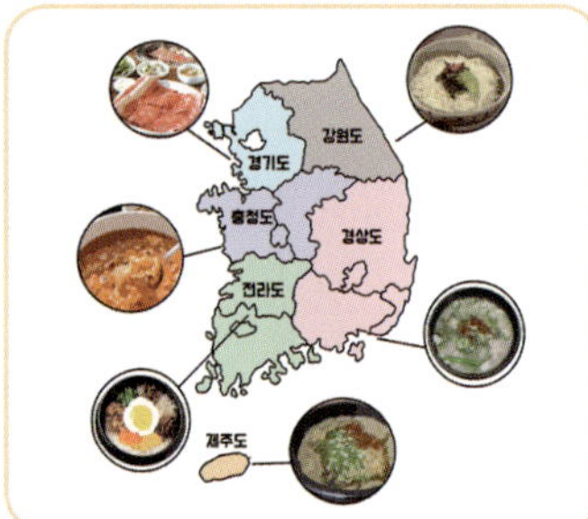

⑤

2) 함께 이야기해 보십시오.

① 궁중 음식은 일반 사람들이 먹는 음식과 어떻게 다를 것 같습니까?

② 사찰 음식의 특징은 무엇이라고 생각합니까?

③ 지역마다 향토 음식이 다른 이유는 무엇이라고 생각합니까?

④ 퓨전 음식으로 재탄생한 한식에는 어떤 것이 있습니까?

2. 한식의 특징과 관련된 표현을 알아봅시다.

맛이 조화롭다	균형이 잡히다	발효 식품과 저장 식품이 발달하다
열량이 낮다	조리법이 다양하다	제철 재료를 사용하다

1) 여러분이 알고 있는 한국의 발효 식품은 무엇입니까?
2) 제철 재료를 사용하면 어떤 점이 좋을 것 같습니까?
3) 여러분이 맛이 조화롭다고 생각하는 음식은 무엇입니까? 왜 그렇게 생각합니까?
4) 여러분 나라에서는 주로 어떤 조리법을 사용합니까?

3. 한식의 상차림과 관련된 표현을 알아보고, 알맞은 단어를 골라 쓰십시오.

반상　　다과상　　교자상　　주안상

1) ＿＿＿＿＿은 술과 안주를 차려 놓은 상이다.
2) ＿＿＿＿＿은 차와 과자 등을 차려 놓은 상이다.
3) ＿＿＿＿＿은 생일이나 결혼 등 특별한 날에 손님을 위해 차리는 상이다.
4) ＿＿＿＿＿은 기본 상차림으로, 반찬 수에 따라 3첩, 5첩, 7첩, 9첩, 12첩으로 구별한다.

4. 음식의 맛과 식감에 관련된 표현을 알아봅시다.

1) 함께 이야기해 보십시오.

달콤하다　　새콤하다　　매콤하다　　짭짤하다　　쌉쌀하다

① 각 맛은 어떤 맛에서 출발했을 것 같습니까?
② 각 맛을 대표하는 음식에는 무엇이 있습니까?
③ 여러분이 가장 좋아하는 음식은 무엇입니까? 그 음식은 어떤 맛입니까?

2) 알맞은 단어를 골라 쓰십시오.

퍽퍽하다　　쫄깃쫄깃하다　　아삭아삭하다　　바삭바삭하다

음식	식감
① 사과, 오이 등	
② 떡, 젤리 등	
③ 튀김, 치킨 등	
④ 고구마, 닭가슴살 등	

듣기 1

준비하기

12첩 반상

3첩 반상

1. 각각 누구의 상차림인 것 같습니까? 두 상차림의 차이는 무엇입니까?
2. 왕을 위해서 음식을 만들 때 무엇이 중요했을 것 같습니까? 왜 그렇게 생각합니까?

듣기

● 궁중 음식에 관한 대화를 듣고 질문에 답하십시오. 07-1

1. 두 사람은 무엇에 대해 이야기하고 있습니까?

왕의 밥상인 ________ 의 특징

2. 기미를 보는 목적을 고르십시오.

① 음식의 맛을 평가하기 위해서 □　　② 음식에 독이 있는지 확인하기 위해서 □

3. 들은 내용과 같은 것을 모두 고르십시오.

① 왕의 밥상에는 기본 음식 3개와 12가지 반찬이 올라갔다. □
② 12첩은 계절마다 다른 재료를 사용해 만들었다. □
③ 수라상은 음식의 맛이 조화롭다는 특징이 있다. □
④ 궁중 음식은 서민들의 음식 문화로부터 영향을 받았다. □

4. 들은 내용을 정리해서 말해 보십시오.

읽기 1

준비하기

1. 여러분 나라의 사람들이 가장 좋아하는 간식은 무엇입니까? 왜 그 간식을 좋아한다고 생각합니까?

2. 그 간식은 언제부터 먹기 시작했습니까?

읽기

● 떡볶이에 관한 글을 읽고 질문에 답하십시오.

떡볶이의 ______________

가 한국인들이 가장 좋아하는 간식은 무엇일까? 따뜻하고 달콤한 호떡? 단팥이 가득 찬 귀여운 모양의 붕어빵? 아니다. 대부분의 사람들은 한국의 대표적인 간식으로 떡볶이를 꼽는다. 한국 드라마나 영화에도 자주 등장하는 떡볶이는 이제 세계인들에게도 낯설지 않은 음식이다. 떡볶이는 쫄깃쫄깃한 떡의 식감과 매콤달콤한 양념이 잘 어우러져 남녀노소를 불문하고 인기를 얻고 있다.

나 그렇다면 한국 사람들은 떡볶이를 언제부터 먹기 시작했을까? 떡볶이라고 하면 새빨간 양념이 먼저 떠오르다 보니 떡볶이의 역사가 그리 길지 않다고 생각하는 경우가 많다. 한국에 고추가 들어온 시기가 조선 후기이기 때문이다. 하지만 사실 떡볶이는 고려 시대부터 먹었다는 기록이 남아 있을 정도로 그 역사가 길다. 1469년에 쓰인 의서에 '떡과 고기를 넣고 만든 음식'에 대한 기록이 있고, 1896년에 쓰인 조리서에도 떡볶이가 등장한다.

다 조선 시대의 떡볶이는 궁중에서 왕이 즐기던 음식이었다. 다만 지금과 달리 궁중에서는 간장을 양념으로 사용했다. 쌀로 만든 떡에 소고기, 전복, 해삼 등 고급 식재료를 넣고 간장으로 떡볶이를 만든 것이다. 그 당시에는 쌀이 귀했기 때문에 쌀로 만든 떡 역시 매우 귀해서 쌀로 간식을 만든다는 것은 궁중에서나 가능한 일이었다. 이처럼 궁중 음식의 하나였던 떡볶이는 먹거리가 귀했던 시절 일반 서민들과는 동떨어진 고급 음식이었다.

라 그렇다면 우리에게 친숙한 빨갛고 매콤한 고추장 양념 떡볶이는 언제부터 만들어진 것일까? 고추장으로 양념한 떡볶이가 나온 것은 1950년대이다. 그리고 1970년대에 저렴한 밀가루로 만든 떡을 재료로 사용하면서 고추장 떡볶이가 본격적으로 유행하기 시작했다. 이때부터 사람들은 떡볶이라고 하면 으레 빨간 양념을 떠올리게 되었고, 떡볶이는 주머니가 가벼운 서민들이 부담 없이 즐기는 길거리 간식으로 자리 잡았다. 그러면서 자연스럽게 간장으로 만든 떡볶이는 궁중 떡볶이로 불리게 되었다.

마 이처럼 떡볶이는 왕이 즐기던 음식에서 누구나 즐겨 먹는 길거리 간식으로 변화했다. 더 나아가 요즘에는 간장과 고추장뿐 아니라 치즈나 크림, 카레, 짜장 등 다양한 음식 재료를 활용한 색다른 떡볶이가 등장하며 그 맛도 다채롭게 발전하고 있다. 이제 떡볶이는 단순한 간식이 아니라 한 끼 식사로도 부족함이 없는 음식이 되었다. 더불어 한국 문화가 인기를 얻으면서 세계 대도시에 떡볶이 매장이 열리고, 직접 요리해서 먹을 수 있는 밀키트 수출도 증가하는 상황이다. 떡볶이는 이제 세계인의 입맛도 사로잡고 있다. 세계인을 만난 떡볶이가 앞으로 또 어떻게 변할지 기대가 크다.

1. 글의 제목으로 적절한 것을 고르십시오.

① 떡볶이의 재료와 식감 □ ② 떡볶이의 유래와 변화 □

2. 알맞은 중심 내용을 연결하십시오.

가	•	•	고추장 양념 떡볶이
나	•	•	조선 시대의 떡볶이
다	•	•	문헌에 남아 있는 떡볶이
라	•	•	한국의 대표적인 간식인 떡볶이
마	•	•	떡볶이의 다양화와 세계화

3. 묻고 대답하십시오.

1) 한국에서 떡볶이가 남녀노소를 불문하고 인기가 있는 이유는 무엇입니까?
2) 떡볶이에 대한 기록이 남아 있는 문헌에는 어떤 것들이 있습니까?
3) 조선 시대의 떡볶이에는 어떤 재료가 들어갔습니까?
4) 고추장 양념 떡볶이가 처음 등장한 것은 언제입니까?
5) 길거리 간식이었던 떡볶이는 요즘 어떤 음식이 되었습니까?

4. 다음 표현을 이용하여 읽은 내용을 정리해서 말해 보십시오.

조선 시대의 떡볶이	왕 간장 쌀떡 귀하다 고급 재료
1970년대의 떡볶이	고추장 밀가루 저렴하다 서민

5. 함께 이야기해 보십시오.

1) 여러분 나라에도 떡볶이와 같이 변해 온 요리가 있습니까?
2) 떡볶이를 만들 때, 여러분 나라의 어떤 양념과 재료를 넣으면 인기가 있을 것 같습니까?

문법

문법 1 -(으)려던 참이다

1. 다음 문법의 의미를 생각해 봅시다.

- 안 그래도 점심에 책에서 소개한 궁중 음식을 먹으러 가려던 참인데 같이 갈래?
- 마침 저도 커피를 마시러 카페에 가려던 참이었어요.
- 집안일을 끝내고 쉬려던 참인데 친구가 집에 놀러 왔다.

2. 다음과 같이 대화를 완성해 봅시다.

1) 가: 에어컨 좀 꺼도 돼요?
   나: 그렇지 않아도 교실이 좀 추운 듯해서 에어컨을 끄려던 참이에요.
2) 가: 이 음료수 마실래요? 1+1 상품이라서 한 개 더 받았거든요.
   나: 안 그래도 목이 말라서 뭐라도 ________________ 잘됐네요. 고마워요.
3) 가: 여보세요. 지수니? 뭐하고 있어?
   나: 심심해서 그냥 영화나 ________________. 왜? 무슨 일 있어?
4) 가: 야, 너 오늘은 절대로 늦으면 안 돼. 알지?
   나: 알아. 안 그래도 지금 집에서 ________________ 걱정 마.

3. 다음을 이용해서 이야기해 봅시다.

1) 
언제까지 게임만 할 거야? 그만 끄고 공부해.

2) 오늘까지 책을 반납해야 하는데 도서관에 갈 시간이 없어.

3) 
아까 저녁을 조금 먹었더니 배가 좀 고프네.

4) 요즘 나만 청소하잖아. 너도 좀 해.

5) 
여보세요, 지금 뭐 해?

6) 오후에 명동에 갈 거야.

문법 2 을/를 불문하고

1. 다음 문법의 의미를 생각해 봅시다.

- 떡볶이는 쫄깃쫄깃한 떡의 식감과 매콤달콤한 양념이 잘 어우러져 남녀노소를 불문하고 인기를 얻고 있다.
- 그 병은 성별을 불문하고 고령자에게 많이 나타납니다.
- 이 작가는 시, 소설, 희곡 등 장르를 불문하고 다양한 작품들을 내놓고 있다.

2. 알맞은 것을 골라 말해 봅시다.

보기	✔ 나이	시대	지역	국적	이유

1) 이 운동은 나이를 불문하고 누구나 쉽게 배우고 즐길 수 있어서 좋아요.
2) 저는 ____________ 거짓말을 하는 건 절대로 용서할 수 없어요.
3) 한국인이건 외국인이건 능력만 있다면 ____________ 누구나 참여할 수 있습니다.
4) 명작이란 ____________ 현재까지도 꾸준히 사랑을 받는 작품을 가리키는 말이에요.
5) 우리는 먹는 걸 좋아해서 맛집이라면 그 식당이 어디에 있든지 ____________ 찾아가요.

3. 다음과 같이 문장을 완성해 봅시다.

1) 요즘은 세대를 불문하고 패션에 관심이 많다.
2) 나는 ____________ 음악은 다 즐겨 듣는다.
3) ____________ 환경 문제에 모두 관심을 가져야 한다.
4) 성별을 불문하고 ____________.
5) 동서고금을 불문하고 ____________.

4. 함께 이야기해 봅시다.

1) 남녀노소를 불문하고 누구나 좋아할 만한 음식에는 뭐가 있습니까?
2) 요즘 여러분 나라에서 나이를 불문하고 인기를 얻고 있는 게 있습니까?
3) 가격을 불문하고 무조건 사고 싶은 물건이 있습니까?
4) 시대를 불문하고 사랑받는 것에는 무엇이 있습니까?

7-2 판소리의 계승

어휘와 표현 2

1. 문화의 특성과 관련된 표현을 알아보고, 알맞은 것을 연결하십시오.

1) 공유성 •	• 시간이 지나면서 변화하고 발전하는 것 예) 예전에는 편지로 소식을 전했으나 요즘에는 이메일이나 SNS로 의사소통을 한다.
2) 학습성 •	• 전체적으로 하나를 이루는 것 예) 인터넷의 발달은 정보 통신 기술은 물론 교육 문화나 산업 등에 영향을 끼치고 있다.
3) 축적성 •	• 사회의 구성원들이 공통적으로 가지는 것 예) 한국에서는 수능을 보는 수험생에게 찹쌀떡이나 엿을 선물한다.
4) 변동성 •	• 기존의 것에 새로운 것이 추가되어 쌓이는 것 예) 휴대 전화가 발전하면서 통화 기능에 문자, 사진 촬영, 인터넷 등의 기능들이 추가되었다.
5) 전체성 •	• 사회에서 교육, 경험, 관찰을 통해 배우는 것 예) 한국 남자와 결혼한 외국인 여성이 김치를 담글 줄 알게 되었다.

2. 문화 전승 형태와 관련된 표현을 알아봅시다.

계승되다	재창조되다	외면당하다	변질되다	사라지다

1) 알맞은 단어를 골라 쓰십시오.

① 시대의 변화에 뒤떨어지는 제품은 사람들에게 ________________다가 결국 사라지게 된다.

② 국가의 유물이나 유적지는 앞으로도 잘 보존하고 ________________어야 한다.

③ 이 음식은 쉽게 ________________니까 더울 때는 꼭 냉장고에 보관해야 한다.

④ 판소리는 현대 감각에 어울리게 ______________면서 젊은 사람들에게도 인기를 얻고 있다.

2) 함께 이야기해 보십시오.

① 현대에도 잘 계승되고 있는 전통문화에는 어떤 것이 있습니까?

② 문화가 사람들에게 외면당한다면 그 이유는 무엇이라고 생각합니까?

③ 여러분 나라에서 변질되거나 사라지고 있는 전통문화에는 무엇이 있습니까?

3. 판소리계 소설과 관련된 표현을 알아보고, 알맞은 단어를 골라 쓰십시오.

시대상을 반영하다　　현실을 풍자하다　　희로애락을 표현하다　　교훈을 담다

작품	작품 해설
흥부전	이 작품은 착한 동생 흥부와 욕심쟁이 형 놀부의 이야기를 통해서 착한 일을 하면 복을 받는다는 ______________ 고 있다.
춘향전	이 작품은 기생의 딸인 춘향이 신분을 뛰어넘어 사랑을 이루는 이야기로, 조선 후기의 신분제로 인해 자유롭지 못했던 ______________ 고 있다.
심청전	이 작품은 심청이 앞을 보지 못하는 아버지를 위해 목숨을 희생했다가 왕비가 된 후 아버지와 재회하는 이야기로, 인생의 ______________ 고 있다.
토끼전	이 작품은 우화 소설로, 동물을 주인공으로 하여 힘없는 백성과 권력자의 관계에 대해 이야기함으로써 ______________ 고 있다.

4. 사람의 특징을 나타내는 '-꾼'과 관련된 어휘를 알아보고, 함께 이야기해 보십시오.

소리꾼
살림꾼
사냥꾼
춤꾼
____

-꾼

구경꾼
일꾼
누리꾼

1) 살림꾼은 어떤 성격을 가져야 할 것 같습니까?

2) 여러분은 춤꾼이라고 하면 생각나는 사람이 있습니까?

3) 현대의 소리꾼은 어떤 능력을 갖춰야 한다고 생각합니까?

4) 요즘 누리꾼들의 관심을 끌고 있는 사건이나 물건은 무엇입니까?

읽기 2

준비하기

1. 여러분들은 한국의 전통 공연인 판소리를 본 적이 있습니까?

2. 그림을 보면서 질문에 답하십시오.

1) 판소리 공연장에는 어떤 사람들이 있습니까?

2) 판소리 공연의 무대는 다른 공연의 무대와 어떻게 다릅니까?

3) 그림 속 사람들은 어떤 역할을 하고 있습니까?

읽기

판소리에 관한 글을 읽고 질문에 답하십시오.

판소리의 공연 방식과 특징

판소리는 한국 고유의 전통 공연 중 하나로, 한 명의 소리꾼과 한 명의 고수가 무대를 꾸민다. 고수가 치는 북소리에 맞춰 소리꾼은 하나의 이야기를 '소리'와 '아니리'로 구성하고 '발림'을 선보이며 공연을 진행한다. 이때 소리는 소리꾼이 부르는 노래를, 아니리는 소리꾼이 중간중간에 하는 말을, 그리고 발림은 소리꾼이 공연 중에 보여 주는 몸짓을 의미한다. 판소리는 비록 한 명의 소리꾼이 공연하지만, 노래와 말, 몸짓이 한데 어우러진 종합 예술 공연이라고 할 수 있다.

판소리 공연의 가장 큰 특징은 열린 무대라는 것이다. 이는 별도의 무대가 따로 없다는 것과 고수와 구경꾼이 공연에 참여할 수 있다는 것을 의미한다. 판소리가 서민들이 즐기던 문화인 만큼 판소리 공연은 특별한 무대 장치 없이 사람들이 모이는 곳에서 이루어졌다. 그리고 소리꾼이 공연하는 동안 고수와 구경꾼은 공연의 흐름에 맞게 '얼쑤!, 좋다!, 잘한다!'와 같은 감탄사를 적절히 외치며 능동적으로 공연에 참여했다. 고수와 구경꾼이 외치는 감탄사를 '추임새'라고 하는데, 추임새는 공연의 흥을 돋우는 동시에 소리꾼과 고수, 구경꾼이 서로 교감하며 함께 공연을 즐기게 하는 역할을 했다. 추임새를 통해 구경꾼이 공연에 참여하다 보니 공연 현장의 분위기가 공연에 영향을 미치기도 했다. 소리꾼이 구경꾼들의 반응에 따라서 공연의 내용을 줄이기도 하고 늘리기도 한 것이다. 즉 구경꾼들의 호응이 좋은 부분은 더 오래 하고 반응이 없는 부분은 간단히 넘어가다 보니 같은 작품이라고 해도 소리꾼마다 공연하는 내용이 조금씩 달랐다.

판소리는 오랫동안 서민들의 예술 문화로 존재하다가 지위가 높은 양반층에게까지 전해져 모두에게 사랑을 받았다. 이후 판소리의 이야기 부분이 판소리계 소설로 발전했는데, 이 또한 큰 인기를 끌었다. 현대에 와서도 판소리는 여전히 한국의 전통 공연으로 계승되는 한편 시대의 흐름을 반영해 대중음악으로 재창조되며 '조선팝'으로 불리고 있다.

1. 판소리 공연에서 사용하는 용어의 의미는 무엇입니까?

소리 :

아니리 :

발림 :

추임새 :

2. 판소리 공연에서 고수와 구경꾼의 추임새는 어떤 역할을 합니까?

공연의 ________ 는 동시에 모두가 함께 공연을 즐기도록 한다.

3. 읽은 내용과 같은 것을 모두 고르십시오.

① 판소리 공연의 소리꾼은 여러 역할을 해야 한다. ☐

② 판소리 공연이 진행되면 구경꾼은 감탄사를 멈추고 감상했다. ☐

③ 판소리 공연은 서민은 물론 양반층에게도 사랑을 받았다. ☐

④ 판소리는 소설로 발전했으나 소설의 인기는 판소리만 못했다. ☐

4. 읽은 내용을 정리해서 말해 보십시오.

듣기 2

준비하기

1. 이 이야기의 주인공은 누구인 것 같습니까? 왜 그렇게 생각합니까?
2. 이 이야기는 어떤 내용일 것 같습니까?

듣기 2-1

● 〈토끼전〉에 관한 강의를 듣고 질문에 답하십시오. 07-2

1. 강의의 주제는 무엇입니까?

〈토끼전〉의 ________ 와 등장하는 동물의 ________

2. 다음 표를 완성하십시오.

주인공	어떤 거짓말을 했습니까?	왜 그 거짓말을 했습니까?
자라		
토끼		

3. 들은 내용과 같은 것을 모두 고르십시오.

① 우화 소설은 동물을 사람처럼 표현하는 소설을 말한다. □
② 자라는 토끼와 함께 용궁에 가서 부귀영화를 누렸다. □
③ 용왕은 토끼가 불쌍해서 간을 꺼내지 않고 육지로 돌려보냈다. □
④ 〈토끼전〉은 흥미로운 구성과 현실에 대한 풍자로 인기를 끌었다. □

듣기 2-2

● 이어지는 강의를 듣고, 질문에 답하십시오. 07-3

1. 〈토끼전〉에 등장하는 동물이 반영하는 현실 인물과 성격을 연결하십시오.

현실 인물	등장 동물	성격
권력자 •	• 토끼 •	• 지혜롭다
백성 •	• 자라 •	• 어리석다
지배층 •	• 용왕 •	• 충성스럽다
		• 이기적이다
		• 이중적이다
		• 세속적이다

2. 묻고 대답하십시오.

1) 토끼는 무엇 때문에 죽을 위기에 놓이게 되었습니까?
2) 자라는 누구를 위해 육지로 갔습니까?
3) 우화 소설은 어떤 방법으로 현실을 풍자합니까?
4) 〈토끼전〉은 어떤 이야기라고 할 수 있습니까?

3. 다음 표현을 이용하여 들은 내용을 정리해서 말해 보십시오.

토끼	부귀영화 세속적 지혜롭다 백성
자라	충성스럽다 이중적 지배층
용왕	이기적 어리석다 무능력하다 권력자

4. 함께 이야기해 보십시오.

1) 여러분은 자라의 거짓말과 토끼의 거짓말 중 어느 것이 더 나쁘다고 생각합니까? 그 이유는 무엇입니까?
2) 〈토끼전〉의 주인공들은 이후 어떻게 되었을 것 같습니까?

전달력 향상하기

● **의미를 생각하면서 끊어 읽어 보십시오.**

앞서 말씀드린 대로 우화 소설은 동물을 의인화해 현실을 풍자합니다. 〈토끼전〉에 등장하는 동물을 현실 세계의 인물로 살펴보면 용왕은 무능력한 권력자를, 토끼는 힘없고 약한 백성을 의미합니다. 그리고 자라는 권력자에게는 충성하나 힘없는 백성에게는 위선적인 지배층을 나타냅니다.

문법

문법 3 -는/(으)ㄴ 동시에

1. 다음 문법의 의미를 생각해 봅시다.

- 추임새는 공연의 흥을 돋우는 동시에 모두 함께 공연을 즐기게 하는 역할을 한다.
- 아이들이 독립하니까 행복한 동시에 쓸쓸한 마음도 들었다.
- 인간은 이성적인 존재인 동시에 감성적인 존재이다.

2. 다음과 같이 말해 봅시다.

1) 동아리에 가입하면 취미를 즐기는 동시에 친구도 사귈 수 있어요.

1) 동아리에 가입하면 취미를 즐기다 - 친구도 사귈 수 있다
2) 투표는 국민의 의무이다 - 권리이다
3) 어깨 마사지를 받자 아프다 - 시원함이 느껴졌다
4) 그는 영어를 가르치는 선생님이다 - 한국어를 배우는 학생이다
5) 반려동물을 키우면 정서적으로 안정되다 - 외로움도 달랠 수 있다

3. 다음과 같이 문장을 완성해 봅시다.

1) 출발 신호가 울리는 동시에 선수들이 앞으로 달려 나갔다.
2) ________________ 관객들이 박수를 치며 소리를 질렀다.
3) ________________ 강아지가 꼬리를 흔들며 달려왔다.
4) 과학의 발전은 인간에게 편리함을 주는 동시에 ________________.
5) 가족 간의 사랑을 그린 이 영화는 재미있는 동시에 ________________.

4. 함께 이야기해 봅시다.

1) 유학 생활의 장점은 무엇이라고 생각합니까?
2) 가까운 거리를 걸어 다니면 좋은 점이 무엇입니까?
3) 여러분이 어떤 사람인지 소개해 보십시오.
4) 여러분 주변에는 여러 개의 직업을 가진 사람이 있습니까?

문법 4 -(으)ㄴ 끝에

1. 다음 문법의 의미를 생각해 봅시다.

- 자라는 토끼의 말이 거짓이라고 했지만, 용왕은 **고민한 끝에** 토끼의 말을 믿기로 했습니다.
- 오랫동안 **고생을 한 끝에** 좋은 결과를 얻게 되었다.
- 그들은 3년간의 **연애 끝에** 결혼하였다.

2. 알맞은 것을 골라 써 봅시다.

보기	연구하다	기다리다	✓모으다	걷다	훈련하다

1) 십여 년간 고생하며 돈을 <u>모은 끝에</u> 드디어 내 집을 갖게 됐다.
2) 우리는 한참을 ______________ 어두운 숲에서 벗어날 수 있었다.
3) 계속되는 실패에도 포기하지 않고 계속 ______________ 신제품 개발에 성공했다.
4) 2시간 넘게 줄을 서서 ______________ 좋아하는 가수와 사진을 찍게 되었다.
5) 강지영 선수는 매일 꾸준히 ______________ 세계 육상 대회에서 금메달을 땄다.

3. 인터뷰 내용을 정리해서 말해 봅시다.

1) 
가수 K

"가수로 데뷔하기까지 결코 쉽지만은 않았습니다. 10번 넘게 오디션에 도전했고 그 결과 드디어 가수가 되었지요."

→ 가수 K의 말에 의하면 그녀는 10번의 도전 끝에 가수로 데뷔할 수 있었다고 합니다.

2) 
사장

"최종 결정을 내리는 데 시간이 오래 걸렸습니다. 5시간 넘게 토론이 이어졌거든요. 그리고 그 회사에 투자하기로 결정했습니다."

→ ______________

3) 
연구원

"드디어 비만 치료제를 개발하게 되어 정말 기쁩니다! 10년 동안 수없이 많은 실험을 한 결과라고 생각합니다."

→ ______________

4) 
제프리

"한국으로 유학을 오기까지 유학을 갈까 말까 오랫동안 고민을 했습니다. 이런 과정을 거쳐 한국에 유학을 왔습니다."

→ ______________

활동 문학 작품 개작하기

준비하기

1. 〈토끼전〉의 내용을 정리해 봅시다.

		내용
배경		
주제		
주인공	토끼	
	자라	
	용왕	

1) 〈토끼전〉의 줄거리를 이야기해 봅시다.

2) 〈토끼전〉에 등장하는 동물들의 성격과 특징은 무엇입니까?

2. 〈토끼전〉의 주인공들은 마지막에 어떻게 되었을 것 같습니까? 왜 그렇게 생각합니까?

	결말	이유
토끼		
자라		
용왕		

3. 〈토끼전〉을 현대 작품으로 개작한다면 바꾸고 싶은 부분은 어디입니까? 왜 그렇게 생각합니까?

	바꾸고 싶은 부분
내용	
이유	

4. 작성한 내용에 대해 함께 이야기해 봅시다.

활동하기

1. 여러분이 <토끼전>을 현대적으로 재해석한다면 어떻게 바꾸고 싶습니까? 함께 내용을 바꿔 봅시다.

※ 작품을 개작할 때 주의 사항

- 등장인물 간의 관계(권력자/약자)를 유지해야 함.
- 거짓말을 이용해 속고 속이는 구성이 들어가야 함.
- 제목과 이야기가 잘 어울려야 함.

	원작	우리 팀의 개작
장르	판소리계 소설, 우화 소설	
제목	토끼전	
배경	바닷속 용궁, 육지	
주인공 1	토끼 (세속적이며 힘없는 존재)	
주인공 2	용왕 (무능한 권력자)	
주인공 3	자라 (권력자에게 충성하는 자)	
내용	병에 걸린 용왕이 토끼의 간을 구하기 위해 자라를 보내고, 자라는 토끼를 속여 용궁에 데려오는 데 성공하지만, 용왕이 토끼의 거짓말에 속아서 결국 토끼가 위기에서 벗어나게 됨.	
결말	토끼가 비웃고 도망가는 결말	
주제	힘없는 존재가 자신의 지혜로 이기적인 권력자에게 승리함.	

2. 메모한 표를 활용해서 발표해 봅시다.

3. 친구들이 개작한 내용을 듣고 평가해 봅시다.

평가 내용 (5-4-3-2-1)	1조	2조	3조	4조
1. 제목과 내용이 잘 어울립니까?				
2. 원작 주인공들의 관계가 잘 반영되었습니까?				
3. 개작된 내용이 흥미롭습니까?				
4. 전체적으로 완성도 높게 잘 구성되었습니까?				
총점				

부록

- 듣기 대본
- 모범 답안
- mp3 목록
- 순화어 목록
- 참고 자료

5-1 듣기 대본

01 건강한 생활

♬ 01-1

내레이션 오늘 만나 볼 분은 20대 회사원 김미선 씨입니다. 미선 씨는 얼마 전 집에서 독립했는데, 혼자 살기 시작하면서 1년 새 10kg 이상 살이 쪘다고 합니다.

김 미 선 혼자 사니까 장을 보고 재료를 사서 음식 준비하는 게 너무 번거로워요. 요리를 못하기도 하고요. 그래서 저녁은 주로 좋아하는 음식을 배달 시켜서 먹고 있어요.

내레이션 미선 씨가 오늘 주문한 음식은 치킨과 감자튀김, 그리고 콜라입니다. 주문한 음식이 배달되어 먹기 시작하는 시간은 보통 아홉 시, 퇴근이 늦어지면 열 시가 넘어가기도 합니다. 늦은 시간에 식사를 하고 바로 잠자리에 드는 습관이 일상화되면서 미선 씨의 몸무게는 급속도로 증가하기 시작했습니다.

김 미 선 배고픈 상태에서는 잠이 잘 안 와서 자기 직전까지 이것저것 먹는 경우가 많아요. 주말에도 피곤하다는 핑계로 운동도 거의 안 하고 누워 있기만 했더니 하루가 다르게 살이 찌기 시작하더라고요. 살이 찌면서 몸도 더 빨리 지치는 것 같아요.

내레이션 김미선 씨는 늦은 시간에 식사하는 습관을 가지고 있는데요. 이런 식습관은 왜 문제가 되는 걸까요? 전문가들은 밤늦게 음식을 먹고 바로 자는 습관이 건강에 매우 좋지 않다고 지적합니다. 신체에서는 다양한 호르몬이 분비되는데 늦은 밤에 음식을 섭취하면 '멜라토닌(melatonin)'과 같은 호르몬 분비가 감소하면서 숙면을 방해하게 됩니다. 당연히 소화에도 문제가 생깁니다. 영양분은 그대로 지방으로 바뀌어 비만을 부르게 되고요. 비만은 다시 당뇨, 고혈압, 심장병 등 다양한 성인병을 유발하는 원인이 됩니다. 한마디로 악순환의 고리에 빠지게 되는 거죠.

그래서 전문가들은 건강을 위해서는 잠자리에 들기 전 최소 서너 시간 전에는 식사를 마쳐야 한다고 합니다. 그러나 불가피하게 늦은 밤에 식사하게 된다면 채소 위주로 간단히 섭취할 것을 권하고 있습니다.

♬ 01-2

앵 커 다음은 건강에 대한 소식입니다. 평소에 운동을 하지 않으면 젊은 사람에게도 점차 활동이 어려워지는 '운동 기능 저하 증후군'이 나타날 수 있다고 합니다. 김미나 기자, 자세히 설명해 주시겠어요?

기 자 운동 기능 저하 증후군이란 근육이나 뼈와 같은 몸의 기관이 약해지면서 관절을 잘 움직이지 못해 결국에는 기본적인 활동에도 어려움이 생기는 질환을 말합니다.

앵 커 젊은데도 그 질환이 생길 수 있다는 거죠?

기 자 맞습니다. 운동은 별로 하지 않고 스마트폰을 과도하게 사용하는 사람들이 많아지면서 이 증상을 호소하는 젊은이가 늘고 있다고 합니다.

앵 커 '내가 운동 기능 저하 증후군이다.' 이건 어떻게 알 수 있는 건가요?

기 자 다음 방법으로 간단히 진단할 수 있습니다. 40㎝ 정도 높이의 의자에 앉았다가 양손을 가슴에 모으고 한 발로 일어나는 겁니다. 한 발로 일어나지 못하면 초기인 1단계로 봅니다. 좀 더 낮은 20㎝ 높이의 의자에서 양발로 일어나지 못하면 더 심각한 2단계에 해당되고요.

앵 커 저도 한번 해 봐야겠네요. 그렇다면 운동 기능 저하 증후군을 예방하거나 개선할 수 있는 방법이 있습니까?

기 자 다들 짐작하시다시피 매일 규칙적으로 운동하는 것이 가장 중요합니다. 무리하지 않고 땀이 살짝

날 정도로 빨리 걷는 것이 좋다고 합니다. 그리고 신체 운동 기능을 높이는 훈련법도 도움이 되는데요. 다음 화면을 보면서 설명해 드리겠습니다.

♬ 01-3

기 자 신체 운동 기능을 높이는 훈련법은 다음 네 가지로 구성되어 있는데, 정확한 방법을 익혀 정확한 횟수로 실행하는 것이 중요합니다.

첫 번째 훈련은 '눈 뜨고 한쪽 다리로 1분씩 서 있기'입니다. 하루에 3회 정도 하면 되고요.

두 번째는 양발을 어깨너비로 벌린 다음에 천천히 앉는 '스쿼트'를 세 세트 하는 겁니다. 한 세트는 최소 5회에서 최대 15회 정도 합니다.

세 번째로는 '똑바로 서서 발꿈치를 천천히 올렸다 내리기'이고, 마지막 훈련은 한쪽 다리를 앞으로 내딛고 천천히 앉는 '런지'인데, 각각 세 세트씩 진행합니다.

이 두 가지 동작은 처음에 10회 정도 하다가 익숙해지면 20회까지 늘리는 게 좋습니다. 어렵지 않으니까 오늘부터 바로 시작해 보시면 좋겠습니다.

02 생활 속 매체

♬ 02-1

여 자 어제 새로 시작한 드라마 '영원한 사랑' 봤어?

남 자 응. 봤어. 요즘 잘나가는 배우들이 많이 나오더라.

여 자 그런데 난 보다가 좀 짜증이 났어.

남 자 왜?

여 자 어제 간접 광고를 너무 많이 하더라고. 남자 주인공이 여자 주인공한테 슬픈 이야기를 하다가 갑자기 오렌지 주스를 벌컥벌컥 마셨잖아.

남 자 아, 그게 주스 광고였어? 나도 어색하다고 생각은 했는데 광고인 줄은 몰랐네.

여 자 어제는 진짜 심했어. 이게 드라마를 보는 건지 광고를 보는 건지 모르겠더라고.

남 자 그런데 드라마 안에서 제품을 노출하면 브랜드 인지도가 올라가는 건 맞는 거 같아. 인기 있는 드라마에서 유명한 배우가 뭐 하나 입고 나오면 다음 날 날개 돋친 듯이 팔리잖아.

여 자 나는 드라마를 보고 싶지, 광고를 보고 싶은 게 아니야. 드라마 내용과 어울리지 않게 제품을 노출하니까 내용에도 몰입이 안 되고. 기업의 이익을 위해서 시청자의 권리를 침해하는 게 맞아?

남 자 그건 안 되지. 그런데 드라마를 만들 때 제작비가 너무 많이 드니까 간접 광고가 없으면 드라마를 제작하는 게 어렵다고 하더라고. 이런 현실적인 문제도 있는 것 같아.

여 자 그래도 이야기 흐름을 방해하지는 말아야지. 너무 노골적으로 광고를 하니까 거부감이 생기는 거 아니야.

남 자 너무 심하게 간접 광고를 하면 결국 그 드라마는 사람들이 보지 않게 되더라고. 제작사는 무엇보다 시청률을 신경 쓰니까 무리하게 광고하는 건 자제하지 않을까? 너도 다음 주부터 그 드라마 보지 마.

여 자 어……, 남자 주인공은 참 멋있었는데. 어떡하지?

♬ 02-2

선 배 국민대 신문사 새내기 기자 여러분. 안녕하세요? 여러분과 함께하는 두 번째 시간인데요. 지난 시간에 짧은 기사를 써 보는 과제를 드렸었죠. 기사를 쓰면서 어려웠던 점이 있었나요?

신입 1 선배님, 저는 신문 기사의 제목인 '표제'를 쓰는 게 너무 어렵더라고요. 우리가 평소에 문장을 만드는 방식과 다른 것 같기도 하고, 어떤 게 좋은 표제인지도 잘 모르겠어요.

선 배 선배 기자들에게도 좋은 제목을 쓰는 건 늘 어려운 숙제예요. 그런데 몇 가지 기준은 있는데요. 독자들은 제목을 보고 이 기사를 읽을

지 말지를 판단하기 때문에 우선 사람들의 관심을 끄는 게 중요해요. 그리고 기사의 핵심적인 내용을 강하게 전달할 수 있게끔 짧고 간결하게 표현하는 것이 좋습니다. 예를 들어 '우리 학교의 요리 왕을 찾습니다. 관심 있는 분들의 도전을 기다립니다.'보다 '맛있는 도전! 우리 학교 요리 왕을 찾아라!' 이렇게 표제를 만드는 게 사람들을 더 집중시킬 수 있겠죠? 그리고 재미있고 독특한 표현을 사용하는 것도 독자들의 흥미를 불러일으키는 데 도움이 됩니다. 예를 들어 '맛있는 도전'이라는 말 앞에 '냠냠'을 붙여서 표현을 더 생생하게 만들 수 있습니다.

신입 1 따옴표를 기사 제목에 쓰기도 하던데요?

선 배 맞아요. 인터뷰한 사람의 말을 인용해서 신뢰감을 주고 싶을 때, 또는 강조하고 싶은 표현이 있을 때 그 방법을 많이 사용해요.

신입 2 표제에 쓰고 싶은 내용이 너무 많을 때는 어떻게 해야 할지 모르겠어요.

선 배 그럴 경우에는 부제를 활용하면 돼요. 독자의 눈길을 끌 만한 내용인데 표제에 넣지 못한 것이 있다면 부제에 쓰면 됩니다. 분량은 보통 두 줄 정도이고, 문장을 확실하게 끝맺기보다 열린 문장으로 작성하는 경우가 많습니다.

신입 3 선배님, 저는 전문 쓰는 게 쉽지 않더라고요. 전문은 어떻게 써야 해요?

선 배 본문의 시작을 전문이라고 하는데 전문은 본문을 요약한 부분이기 때문에 이것만 봐도 전체 내용을 파악할 수 있게 써야 해요. 전문은 육하원칙에 따라 작성하는데, 아시다시피 육하원칙은 '누가, 언제, 어디에서, 무엇을, 어떻게, 왜'의 여섯 가지를 말합니다.

육하원칙을 내용에 모두 넣는다고 생각하면 전문 작성이 더 쉬워질 거예요. 설명만 들으면 지루하니까 이제부터는 여러분이 작성한 기사를 보면서 이야기해 볼까요?

03 언어와 생활

♬ 03-1

앵 커 시청자 여러분, 안녕하십니까? 여러분은 사람의 표정이나 몸짓만으로 상대방의 속마음을 잘 알아차릴 수 있으신가요? 오늘은 이 주제로 한국대 언어학과 김선주 교수님과 이야기 나눠 보겠습니다. 교수님, 안녕하세요?

전문가 네, 안녕하세요? 아시다시피 우리는 표정이나 행동을 통해서 다양한 메시지를 전달하는데요. 오늘은 이러한 비언어적 신호 중에서 거짓말을 할 때 자주 취하는 몇 가지 행동에 관해 말씀드리겠습니다.

먼저 말하면서 자주 코를 만지면 거짓말을 하고 있다고 의심해 볼 수 있습니다. 거짓말을 할 때 '카테콜아민(Catecholamine)'이라는 물질이 분비되는데요. 이 물질은 혈압을 상승시켜요. 혈압이 상승하면 코끝에 있는 신경이 자극되기 때문에 간지러운 느낌이 들어서 코를 만지게 되지요. 그러니 이렇게 행동하는 데는 과학적인 근거가 있다고 볼 수 있어요. 다음으로 입을 가리는 것도 거짓말과 관련이 있는데요. 거짓말을 막으려고 무의식적으로 입을 가리는 행동을 취하는 것으로 볼 수 있습니다.

앵 커 교수님, 습관적으로 손가락을 물거나 손톱을 뜯기도 하잖아요. 이것도 거짓말과 관계가 있을까요?

전문가 좋은 질문이에요. 긴장된 상황에서 안도감을 찾으려고 할 때 사람들은 무의식적으로 손을 물거나 손톱을 뜯는 경우가 많거든요. 거짓말을 하다 보니 불안하고 긴장이 돼서 자신도 모르게 그런 행동을 할 수 있습니다. 이와 유사하게 말을 하면서 귀를 자주 만진다거나 귀 주변을 긁는 행동도 거짓말로 인한 긴장 상태를 보여 주는 거예요.

앵 커 어, 그런데 교수님, 이런 행동을 하면 모두 거짓말을 하고 있다고 봐도 되는 겁니까?

전문가 그건 물론 아니죠. 평소와 달리 앞에서 말한 행동이 갑자기 나타나는 경우에 거짓말을 의심해 볼 수 있습니다. 그리고 어떤 상황에서 이런 행동이 나타났는지도 고려해야 합니다. 언제 어디에서 누가 이런 행동을 하느냐에 따라 의미가 달라질 수도 있으니까요. 예를 들어 어떤 사람이 이야기를 들으면서 계속 귀를 만진다면 그건 이야기가 재미없어서 듣는 둥 마는 둥 하고 있다는 것을 의미합니다. 그럴 때는 대화의 주제를 바꾸거나 말하는 방식에 변화를 줄 필요가 있겠죠.

앵 커 우리의 행동은 언어를 대신해서 여러 가지를 보여 주고 있네요. 거짓말을 들키지 않으려면 행동에 신경을 써야겠습니다. 오늘 말씀 감사합니다.

♬ 03-2

오늘은 거절하는 것을 어려워한다는 청취자의 사연을 소개해 드리려고 합니다.

안녕하세요. 20대 회사원입니다. 저는 거절을 잘 못합니다. 회사에서 누군가 무리한 부탁을 해도 거의 다 들어주는 편이고요. 그러다 보니 손해를 보는 경우도 많습니다. 큰맘 먹고 거절을 하려고 해도 사실 뭐라고 말하면서 거절을 해야 할지 모르겠습니다. 상대방이 나한테 서운해하거나 실망할까 봐 걱정되기도 하고요. 어떻게 하면 거절을 잘 할 수 있을까요?

음, 청취자 여러분께서는 거절을 잘 하세요? 이 사연에 너무 공감이 갔던 게, 저도 사실 거절을 잘 못하는 사람이거든요. 그런데 최근 책 한 권을 읽고 도움을 좀 받고 있어요. 「거절해도 괜찮아」라는 책인데, 사연자분께서도 한번 읽어 보셨으면 좋겠어요. 책 내용을 조금 읽어 드릴게요.

♬ 03-3

여러분, 안녕하세요? 오늘의 주제는 '언어의 변화'입니다. 그래서 오늘은 '신조어'에 대해서 공부할 건데요. 슬라이드를 보면서 신조어의 정의와 특징에 대해 살펴보고, 신조어가 어떻게 만들어지는지도 알아보겠습니다.

여러분, 신조어가 뭘까요? 사전에서 신조어라는 단어를 찾아보면 '새로 생긴 말'이라고 나와 있는데요. 언어학적 개념으로 설명하면 새로 형성된 단어 중에서 아직 사전에 실리지 않은 말을 신조어라고 합니다.

신조어는 다음과 같은 특징을 가지는데요. 첫째는 유행성입니다. 신조어는 새로운 사회 현상이 나타나거나 새로운 문화가 유행할 때 주로 생기게 되거든요. 그래서 특정한 시기에 집중적으로 만들어지고 사용돼요. 그러나 그 시기나 상황이 변하면 사용 빈도가 감소하거나 사라지는 특징이 있어요. 코로나 시기에 '언택트, 마기꾼' 등과 같은 신조어가 많이 사용되었는데 요즘은 잘 안 쓰는 것이 그 예입니다.

다음은 확산성입니다. 신조어는 다양한 소셜 미디어를 통해 사람들에게 쉽게 공유될뿐더러 확산도 빠르다는 특징이 있습니다. 또한, 대화할 때도 적극적으로 사용되기 때문에 일상 언어에도 쉽게 녹아듭니다.

마지막으로 신조어는 특정한 문화를 공유하는 집단이나 사회에서 사용되는 경우가 많기 때문에 집단의 소속감을 강화하는 기능을 하기도 합니다.

그렇다면 신조어는 어떤 방식으로 만들어질까요? 한국인이 가장 선호하는 방식은 '축약'입니다. 연구 결과에 따르면 신조어 중 축약형이 가장 큰 비중을 차지했다고 해요. 축약은 긴 표현을 짧게 줄여서 간략하게 표현하는 건데요. 예를 들면 각 단어의 첫 글자만 모아서 새로운 단어를 만드는 거죠. 대표적으로 '마음의 상처'를 줄여서 '마상'이라고 표현하는 게 이 유형에 해당됩니다.

다음으로는'합성'의 방법을 이용하는 건데요. 원래 있던 단어를 합쳐서 새로운 단어를 만드는 거예요. 예를 들면 월요일에 출근하기 싫은 기분을 나타내는 '월요병'이나 연기력이 형편없는 것을 가리켜 '발연기'라고 표현하는 것 등이 있어요. 최근에는 '워킹맘, 호캉스'처럼 영어 단어끼리 합성하는 사례나 '노잼, 꿀팁'처럼 한국어와 영어가 합쳐진 것들도 생기고 있고요.

마지막으로 좀 특이한 방법이 있는데요. 모양이나 발음이 비슷한 숫자나 글자를 이용해서 신조어를 만드는 겁니다. 이러한 방법을 '대치'라고 해요. '댕댕이'는 개를 의미하는 '멍멍이'와 글자 모양이 유사하지요. 그래서 멍멍이 대신 댕댕이라고 표현하는 것을 대표적인 대치의 예라고 할 수 있습니다. 지금까지 신조어의 특징과 형성 방법에 대해 함께 공부해 봤는데요. 다음 시간에는 다른 나라의 신조어에 대해 알아보겠습니다.

04 교육과 진로

♬ 04-1

제프리 윤아 씨는 학창 시절에 공부 잘했어요?

윤 아 공부요? 갑자기 왜 그런 질문을 해요?

제프리 어제 다큐멘터리를 봤는데 거기에 학창 시절 공부에 대한 내용이 나왔거든요.

윤 아 아, 그래서 물어본 거군요. 다큐는 무슨 내용이었어요?

제프리 세계 여러 나라의 20대 청년들을 대상으로 각 나라의 교육에 대해 조사한 거였어요.

윤 아 어느 나라를 조사했는데요?

제프리 한국을 포함해서 미국, 독일, 일본, 덴마크 이렇게 다섯 나라요. 거기에 '당신 나라에서는 공부를 못해도 존중받으며 살 수 있는가?'라는 질문이 있었어요. 윤아 씨는 한국 청년들이 뭐라고 대답했을 것 같아요?

윤 아 음……, 제 생각에 한국 청년들은 공부를 못하면 존중받을 수 없다고 답했을 것 같아요. 저도 학창 시절에 공부를 잘해야 좋은 대학에 가서 성공할 수 있다는 말을 자주 들었거든요.

제프리 윤아 씨 예상대로 공부를 못하면 존중받을 수 없다는 응답이 40% 이상을 차지했어요. 다섯 나라 중 가장 높았고 그다음이 일본, 독일 순이었어요.

윤 아 제프리 씨는 미국 사람이잖아요. 미국 청년들은 어떻게 대답했어요?

제프리 우리 나라는 '공부를 못해도 존중받으며 살 수 있다.'라고 답한 학생이 훨씬 많았어요. 저도 공부를 못했지만 누가 저를 무시한다고 느낀 적은 한 번도 없었고요.

윤 아 나라마다 사람들 생각이 다르네요. 또 뭘 조사했어요?

제프리 학창 시절에 무엇을 위해 공부했는지를 조사했는데 그 결과가 흥미로웠어요. 미국 청년들 대부분은 '적성과 흥미를 찾고 자신의 가능성을 탐색하기 위해'라고 응답한 반면에 한국은 '명문 대학에 진학하기 위해' 공부를 했다고 답했어요. 그것도 무려 60%나 넘는 사람들이요.

윤 아 한국 청년들이라면 그렇게 대답했을 법해요. 저도 그때는 아침부터 저녁까지 대학만을 목표로 공부했거든요. 진짜 학업 스트레스가 장난이 아니었어요. 그래도 60% 넘는 사람들이 그렇게 대답했다니 좀 충격이네요. 저도 그 다큐멘터리를 한번 보고 싶은데, 제목 좀 알려 줄래요?

♬ 04-2

진행자 안녕하세요? 오늘은 취업에 성공한 선배에게 취업 비결을 들어 보는 동문 특강 자리를 마련했는데요. 이 자리를 위해 현재 성북구 다문화센터에서 근무하고 있는 한병수 동문을 모셨습니다. 취업이 하늘의 별 따기인 요즘, 한병수 동문은 전공을 살려 취업에 성공한 뒤 다문화 가족과 관련된 일을 하고 있습니다. 박수로 환영해 주시기 바랍니다.

선 배 안녕하세요? 한병수입니다. 입사한 지 2년밖에 안 돼서 어떤 이야기를 해야 하나 고민이 많았습니다. 그렇지만 취업을 준비하던 시절이 떠올라 후배들에게 조금이라도 도움이 됐으면 하는 마음에 용기를 냈습니다.

진행자 오늘 특강을 위해 여러분의 질문을 미리 받았었죠. 그럼 첫 번째 질문부터 살펴보겠습니다. "저는 1학년인데요. 취업을 준비하려니 너무 막막합니다. 뭐부터 준비해야 할까요?" 이런 고민을 적어 주셨네요.

선 배 음……. 저는 진로를 구체적으로 정하는 것이 취업 준비의 첫걸음이라고 말씀드리고 싶어요. 진로를 정해야 취업을 준비하는 방향이 정해지거든요. 아직 진로를 정하지 못했다면 학교 진로 상담 센터를 방문해 보세요. 저도 거기에서 진로 상담을 받고 직업 심리 검사도 했는데 도움이 많이 됐어요.

진행자 두 번째 질문입니다. "취업을 위해 자격증을 취득해야 한다는 말을 자주 듣습니다. 채용 공고를 봐도 자격증 소지자를 우대하는 경우가 많고요. 취업하려면 자격증이 필수인가요?" 자, 답변해 주시죠.

선 배 어느 회사든 자격증 소지자를 우대하는 건 맞습니다. 자격증이 있다는 건 그 분야에 대해 성실히 준비했다는 거니까요. 그런데 자격증이 없어도 취업에 성공할 수 있습니다. 저도 그랬거든요. 공고문에 있듯이 자격증은 우대 조건이지 필수 조건이 아닙니다. 일에 대한 열정과 자신감 넘치는 태도가 자격증보다 중요하다고 봅니다. '자격증 우대'라는 말 때문에 겁먹고 망설이다가 지원을 포기하지 마세요. 그래도 자격증이 없다는 게 고민된다면 관련 분야의 경력을 쌓아 보세요. 다양한 경력이 자격증이 없다는 걸 보완하고도 남습니다.

진행자 경험에서 우러나온 답변 감사드립니다. 다음 질문입니다. "서류 전형에 합격한다고 해도 면접을 봐야 하는데, 면접은 어떻게 준비하면 좋을까요?"

선 배 어느 회사든지 면접에서 자기소개는 해야 해요. 그리고 지원 동기, 입사 후 포부 같은 것도 꼭 물어봅니다. 이렇게 기본적인 질문을 준비할 때는 목표 기업을 분석해서 구체적으로 답변을 준비하는 것이 필요합니다. 요즘은 모의 면접도 많이 하더라고요. 면접관이 어떤 질문을 할지 예상해 보고 실제 면접처럼 연습한다면 도움이 될 겁니다.

♬ 04-3

면접관 먼저, 세 가지 단어로 자기소개를 한번 해 보세요.

지원자 저는 모든 일에 적극적이고 긍정적이며 포기를 모르는 사람입니다. 학창 시절부터 학교 행사나 봉사활동에 적극적으로 참여해 많은 경험을 쌓았습니다. 또한 어려운 상황에서도 '고생 끝에 낙이 온다.'라는 속담을 떠올리며 긍정적으로 생각하고 포기하지 않으려고 노력했습니다. 그래서 어려운 일도 많았지만, 결국에는 제가 원하는 결과를 얻을 수 있었다고 생각합니다.

면접관 다른 회사도 많은데 우리 회사에 지원한 동기는 무엇입니까?

지원자 비슷한 분야의 회사는 많지만, 이 회사처럼 기술 개발을 위해 끊임없이 도전하고 직원들을 격려하는 회사는 없다고 생각합니다. 저는 미래를 바라보며 회사와 직원들이 함께 노력하는 이 회사에서 제 능력을 발휘하고 싶습니다. 회사와 함께 성장하고 싶어서 이 회사에 지원했습니다.

면접관 만약 우리 회사에 입사한다면 어떤 마음으로 일하겠습니까?

지원자 이 회사에 입사하게 된다면 어떤 업무를 맡든지 밝고 긍정적인 자세로 최선을 다하겠습니다. 또한 회사에 도움이 되는 인재가 될 수 있도록 자기 계발도 게을리하지 않겠습니다. 저를 채용하신다면 절대로 후회하지 않으실 겁니다. 감사합니다.

05 사회 현상과 변화

♬ 05-1

안녕하세요, 배우 강준입니다. 여러분, 내리사랑이라는 말 들어 보셨죠? 내리사랑이란 부모가 자녀에게 주는 사랑과 같이, 윗사람이 아랫사람을 사랑하는 마음을 말합니다. 마치 물이 흐르듯이 위에서 아래로 향하는 무조건적인 마음을 표현하는 말이죠. 그럼 '층간 내리사랑'이라는 말은 들어 본 적이 있나요?

이 말은 층간 소음과 관계가 있습니다. 한국 인구의 70% 정도가 아파트나 빌라 같은 공동 주택에 거주한다고 하죠. 그렇기 때문에 1층이 아니라면 대부분 우리 집 밑에 다른 집이 존재하게 됩니다. 위층에서 쿵쿵거리며 뛰어다니는 통에 휴식처가 되어야 하는 집에서조차 스트레스를 받는 분들이 정말 많다고 해요. 반대로 윗집도 아랫집에 피해가 될까 봐 마음 졸이는 경우도 흔하고요. '층간'을 검색하면 연관 검색어로 '소음'이 뜨는 것만 봐도 이런 현상을 잘 알 수 있습니다.

층간 소음으로 인해 이웃 간에 갈등을 겪었다는 주변 사람들의 이야기. 사소한 말다툼에서 시작된 갈등이 극단적 상황으로까지 번졌다는 뉴스. 이런 이야기를 들을 때마다 이웃사촌이라는 말이 옛말이 된 것 같아 마음이 아픕니다. 이웃과 가족이나 친척처럼 가깝게 지내는 건 더 이상 기대할 수 없는 걸까요?

저도 아파트에 살다 보니 위층에서 나는 발걸음 소리나 청소기 같은 생활 소음이 거슬려 짜증이 날 때가 있습니다. 그때마다 저는 가만히 바닥을 바라봅니다. 제 발밑에 아래층에 사는 이웃의 머리가 있다고 생각하면 짜증이 눈 녹듯이 사라지고 이해심이 생깁니다. 층간 내리사랑은 아래층에 사는 이웃에 대한 위층의 배려입니다. 서로를 위하는 작은 배려가 이웃 간의 갈등을 없애고 우리 모두를 웃음 짓게 만들 수 있습니다. 우리 더불어 살아가요.

♬ 05-2

이마리 안녕하세요. 정자 기증을 받아 작년에 아이를 출산하고 엄마가 된 이마리입니다.

진행자 자발적으로 비혼 출산을 선택하신 건데요. 특별한 이유가 있으세요?

이마리 전 옛날부터 아이를 꼭 낳고 싶었어요. 아이를 정말 좋아하거든요. 그런데 얼마 전에 산부인과에 갔다가 조금 더 나이가 들면 임신이 어렵다는 말을 들었어요. 진짜 놀라고 눈앞이 캄캄해졌죠. 그때 결심했어요. '내가 아이를 낳을 수 있는 시간은 별로 없다. 그렇다고 지금 당장 아무 남자하고나 결혼할 수는 없으니 그냥 아이를 나 혼자 낳아야겠다.' 이렇게요.

진행자 비혼 출산을 결정할 때 사람들의 시선이 걱정되지는 않으셨어요?

이마리 저를 향한 시선은 별로 고민되지 않았어요. 그렇지만 '과연 아빠 없는 아이를 낳는다는 게 아이한테 괜찮을까?' 이게 걱정됐던 건 사실이에요. 그렇지만 '아빠 사랑만큼, 아니 그 이상으로 내가 사랑을 주면서 아이를 키우면 된다.'라는 결심이 서서 결정하게 됐어요. 다행히 부모님도 저를 지지해 주셨고요.

♬ 05-3

지금부터 비혼 출산을 찬성하는 사람들의 의견에 대해 알아보겠습니다. PPT를 보면서 말씀드리죠.

찬성 입장에서는 가족의 개념과 형태가 빠르게 변화하고 다양해지는 만큼, 비혼 출산 역시 인정되어야 한다고 주장합니다. 한국 사람의 인식 변화도 큰데요. 조사 결과에 따르면 한국 사람 중 63%가 비혼 출산에 대해 부정적으로 생각하지 않는다고 답했습니다. 특히 25세~29세 여성층에선 다섯 명 중 네 명이, 남성은 절반 정도가 비혼 출산을 긍정적으로 봤습니다.

두 번째로, 비혼 출산을 찬성하는 사람들은 출산을 결정하는 것이 여성의 권리라고 주장합니다. 국가는 그 결정을 존중해야 한다는 거죠. 결혼을 원하지 않는 여성들이 단지 아이를 낳기 위해 억지로 결혼할 리는 없기 때문입니다. 여성이 낙태권을 가질 수 있는 것처럼 출산권도 보장해야 한다는 것이 그들의 의견입니다.

다음으로, 한쪽 부모가 없어도 아이는 행복하게 자랄 수 있다는 것이 세 번째 찬성 근거입니다. 아빠 없이 아이를 키우는 것이 아이에게 좋지 않은 영향을 준다고 걱정하는 사람들이 있지만, 비혼 출산을 찬성하는 사람들은 이런 생각이 편견에 불과하다고 주장합니다. 부모가 매일 싸우거나 양육에 무관심하다면 아이는 결코 행복할 수 없습니다. 한 부모 가정이라고 해도 사랑과 책임감이 있다면 문제없이 아이를 잘 키울 수 있다고 보는 거죠.

마지막으로 찬성 입장에서는 다양한 가족 형태를 인정하면 저출산 문제 해결에 도움이 될 수 있다고 주장합니다. 현재 한국은 세계에서 가장 출산율이 낮은 국가예요. 이런 상황에서 아이를 낳으려는 비혼 여성을 부정적으로 볼 이유가 없다는 거죠.

여러분의 생각은 어떻습니까? 여러분의 생각을 들어 보고 싶습니다.

06
환경과 인간

♬ 06-1

내레이션 북극의 최상위 포식자, 북극곰. 그러나 최근 슬픔의 눈물이 그치지 않는다고 한다. 강하고 아름다운 그들은 왜 눈물을 흘리고 있을까?

북극곰 제 얘기를 좀 들어 주실래요? 저와 친구들은 지금 어려움을 겪고 있어요. 우리는 캐나다 허드슨만 지역에 살아요. 허드슨만은 우리 개체의 절반이 사는 곳이죠. 우리는 보통 여름에는 여기에서 열매나 해초류, 작은 동물들을 먹으며 지내고, 10월 중순쯤 허드슨만이 얼기 시작하면 바다표범을 사냥하기 위해 북극으로 향합니다. 하지만 우리는 지난 겨울에 북극에 가질 못했어요. 왜냐고요? 바다가 얼지 않았기 때문이죠. 지구 온도가 점점 뜨거워지면서 허드슨만도 늦게 얼고 북극해의 빙하도 줄어들었어요. 실제로 북극의 바다 얼음 면적은 1979년 관측 이후 꾸준히 줄고 있어요.

바다가 얼지 않으면 우리는 수천 킬로미터를 헤엄쳐 사냥을 하러 가야 해요. 먹이도 제대로 먹지 못한 채 수영하는 건 너무 힘들어요. 게다가 빙하가 없으니 중간에 쉴 수도 없게 됐고요. 그래서 제 친구는 바다에서 익사했어요. 또 다른 친구는 먹이를 먹지 못한 나머지 굶어 죽었고요. 저는 더 이상 친구들을 잃고 싶지 않아요.

전문가들이 말하기를 지구의 기온이 1도 오르면 멸종 위기에 처하는 생물이 10%씩 증가한다고 해요. 그렇게 되면 우리가 가장 먼저 생존에 위협을 받을 수 있대요. 그래서 우리는 2008년에 멸종 위기 동물로 등록됐어요. 지구 온난화의 심각성을 깨달은 사람들은 온실가스의 방출을 막고, 유해 물질을 규제하기 위해 '파리 기후 변화 협정'이라는 걸 맺었대요. 이러한 노력들이 많아져서 우리가 더 이상 울지 않았으면 좋겠어요.

환경 문제가 더 심각해져서 우리가 사라지고 나면 다음에는 누가 울게 될까요? 언젠간 그 눈물을 당신들이 흘리고 있을지도 모르죠. 바로 우리처럼요.

♬ 06-2

안녕하세요? 저는 발표를 맡은 마리아라고 합니다. 여러분은 서울시 마포구에 위치한 생태 공원인 '하늘공원'에 가 본 적이 있습니까? 하늘공원은 원래 '난지도'라고 부르던 섬이었습니다. 난지도는 '아름다운 꽃이 자라는 꽃 섬'이라는 뜻인데요. 이후 쓰레기 섬으로 불리게 됩니다. 저는 오늘 이 꽃 섬이 왜 쓰레기 섬이 됐는지, 그리고 이 쓰레기 섬이 어떻게 다시 서울 시민의 휴식 공간인 생태 공원으로 탈바꿈하게 되었는지에 대해 발표하고자 합니다.

먼저, 난지도가 쓰레기 섬이 된 이유를 말씀드리겠습니다. 난지도는 1978년에 쓰레기 매립지로 지정되었습니다. 사실 당시 서울에는 쓰레기 매립지가 적지 않았습니다. 무려 열 곳이나 있었음에도 불구하고 산업화와 도시화로 인구가 급증하면서 매립지가 더 필요하게 된 겁니다. 이후 10년 동안 난지도에 39층 아파트 높이인 98m의 쓰레기가 쌓였다고 합니다. 그로 인해 악취와 해충이 발생하면서 이곳은 더 이상 사람이 살 수 없는 곳으로 변했습니다. 이때부터 서울 시민들은 난지도를 쓰레기 섬이라고 부르게 된 것입니다.

그런데 쓰레기 섬이 어떻게 생태 공원으로 탈바꿈한 걸까요? 그 과정을 지금부터 설명해 드리겠습니다. 우선 1993년에 쓰레기 매립이 중단됩니다. 난지도에 쓰레기가 쌓이자 화재가 빈번하게 발생했고 쓰레기가 한강을 오염시켰거든요. 그리고 2002년 월드컵을 개최하면서 이곳에 친환경 생태 공원인 하늘공원을 조성하기 시작한 거죠. 그러나 현재 모습을 갖추기까지 20여 년이라는 오랜 시간이 걸렸고 사업비도 총 265억 원이나 들었습니다.

이처럼 한번 자연이 훼손되면 원래대로 복구하는 데 너무나 큰 시간과 비용이 듭니다. 다행히 난지도는 이런 노력의 결과로 세계인에게 환경 재생이 무엇인지를 보여 주는 모범적인 사례로 평가받고 있습니다. 그리고 현재는 서울 시민들의 안식처이자 서울에서 가 볼 만한 곳으로 자리 잡았습니다.

저는 이번 발표 준비를 하면서 자연이 훼손되면 그 영향은 인간에게 그대로 돌아오게 된다는 것을 느꼈습니다. 그와 동시에 인간의 노력으로 생태를 복원하고 환경을 재생할 수 있다는 것도 배우게 되었습니다. 그러나 이 과정에 너무 많은 시간과 노력이 들어갑니다. 그러므로 자연이 훼손되기 전에 보호할 수 있도록 우리 모두 노력해야 합니다. 환경을 위한 발걸음을 내일로 미루지 말고 바로 오늘부터 우리들의 도전과 의지를 보여 주면 좋겠습니다.

이것으로 발표를 마치겠습니다. 지금까지 제 발표를 들어주셔서 감사합니다. 질문 있으십니까?

07 전통의 계승

♬ 07-1

남 자 야, 뭘 보는데 사람이 오는 줄도 몰라?

여 자 어, 왔어? 도서관에 『색다른 한식』이라는 책이 있길래 빌렸는데 꽤 재미있네.

남 자 색다른 한식이라니 퓨전 한식 같은 걸 말하는 거야?

여 자 그건 아니고 궁중 음식이라든가 사찰 음식 같은 특별한 한식을 소개하는 책이야. 지금 궁중 음식 중 수라상 부분을 읽고 있는데 흥미로운 내용이 많아.

남 자 수라상? 그게 뭐야?

여 자 왕에게 올리던 밥을 높여서 '수라'라고 하거든. 수라상은 왕에게 올리던 밥상을 말하는 거야.

남 자 그렇구나. 그럼 수라상에는 어떤 음식이 올라갔어? 왕의 밥상인 만큼 우리가 먹는 거랑은 차이가 있겠지?

여 자 물론이지. 궁중에서도 최고의 솜씨를 가진 요리사가 최상의 재료로 만들었대. 심지어 밥상이 세 개나 되는데, 기본 음식과 반찬을 세 개의 상에 나눠 차렸대.

남 자 잠깐만. 기본 음식은 뭐고 반찬은 또 뭐야?

여 자 기본 음식은 말 그대로 매일 상에 올라가는 음식으로 밥과 국, 찌개, 찜, 전골 등이 포함됐대. 그리고 반찬은 열두 가지나 준비했는데, 이것을 12첩이라고 한대.

여기 봐 봐. '12첩은 구이나 조림, 전 같은 반찬을 의미한다. 신선한 제철 재료를 사용했기 때문에 계절에 따라 그 내용이 바뀌었다. 게다가 조리법이 다양하고 주재료도 겹치지 않게 해서 맛이 조화롭고 균형이 잘 잡혔다. 이후 궁중 음식은 서민들에게까지 전해져 한국 음식 문화에 큰 영향을 미쳤다.'라고 쓰여 있어.

남 자 기본 음식에다가 열두 가지 반찬이라니 왕은 정말 행복했겠다.

여 자 글쎄. 밥상만 생각하면 그렇지. 근데 식사 때마다 독이 있는지 없는지 확인했던 거 알아?

남 자 맞다. 사극에서 왕보다 음식을 먼저 먹어 보는 사람을 본 적이 있어.

여 자 그걸 '기미를 본다'라고 해. 기미를 본 사람이 무사하면 그제야 왕이 식사하는 거지. 밥도 맘 편히 못 먹는데 그래도 부러워?

남 자 그건 좀 그렇지만, 그래도 궁중 음식은 한번 먹어 보고 싶어.

여 자 그래? 안 그래도 점심에 책에서 소개한 궁중 음식을 먹으러 가려던 참인데 같이 갈래?

남 자 진짜? 뭐 먹을 건데?

여 자 떡.볶.이.

남 자 뭐? 떡볶이?

♬ 07-2

여러분, 안녕하세요? 지난 시간에는 판소리와 판소리계 소설의 관계를 알아봤습니다. 오늘은 판소리계 소설 〈토끼전〉의 줄거리와 등장하는 동물의 의미에 대해 살펴보겠습니다.

〈토끼전〉은 제목에서 알 수 있듯이 동물이 주인공인 우화 소설입니다. 우화 소설이란 동물을 의인화하여 쓴 소설로, 현실 사회를 풍자하는 것이 특징입니다. 겉으로는 동물을 주인공으로 하지만 사실은 다양한 인간의 모습을 반영하면서 현실을 풍자하는 거지요.

그럼 먼저 〈토끼전〉의 줄거리를 살펴보겠습니다. 바닷속 용궁에 사는 용왕이 병에 걸렸는데 토끼의 간을 먹어야 병이 낫는다는 말을 듣고 자라를 육지로 보냅니다. 자라는 토끼를 만나 자신과 함께 용궁에 가면 부귀영화를 누릴 수 있다고 토끼를 속입니다. 하지만 용궁에 도착하자, 용왕은 토끼의 배를 갈라 간을 꺼내라고 명령합니다. 깜짝 놀란 토끼는 자라에게 속았음을 깨닫고 간을 육지에 두고 왔다고 거짓말을 합니다. 자라는 토끼의 말이 거짓이라고 했지만, 용왕은 고민한 끝에 육지에 가서 간을 가져오라고 하지요. 하지만 육지에 도착한 토끼는 살아 있는 동물이 어떻게 간을 꺼내 놓냐며 자라를 비웃고 도망가 버립니다.

이와 같이 〈토끼전〉에 등장하는 동물들은 자신의 목적을 위해 서로 속고 속이고 있습니다. 이런 구성도 흥미로운 데다가 현실 사회 또한 풍자하고 있어, 이 작품은 큰 인기를 끌었습니다. 그럼 잠시 쉬었다가 〈토끼전〉에 등장하는 동물이 현실의 어떤 인물을 반영하는지 알아보겠습니다.

♬ 07-3

그럼 이어서 〈토끼전〉에 등장하는 동물이 어떤 인물을 반영하는지 알아보겠습니다. 〈토끼전〉의 주인공은 토끼와 자라, 그리고 용왕입니다.

우선 토끼는 부귀영화를 누리고 싶은 세속적인 욕심 때문에 죽을 위기에 놓이지만, 스스로의 힘으로 위기를 벗어나는 지혜로운 인물을 반영합니다. 다음으로 살펴볼 주인공은 자라인데요. 자라는 병든 용왕을 위해 육지로 토끼를 데리러 갈 만큼 충성스럽지만, 목적을 위해 아무렇지 않게 토끼를 속이는 이중적인 인물입니다. 마지막으로 용왕은 자신의 병을 치료하기 위해 토끼의 목숨을 가볍게 여기는 이기적인 인물인 동시에 토끼에게 속을 만큼 어리석은 사람을 나타냅니다.

앞서 말씀드린 대로 우화 소설은 동물을 의인화하여 현실을 풍자합니다. 〈토끼전〉에 등장하는 동물을 현실 세계의 인물로 살펴보면 용왕은 무능력한 권력자를, 토끼는 힘없고 약한 백성을 의미합니다. 그리고 자라는 권력자에게는 충성하나 힘없는 백성에게는 위선적인 지배층을 나타냅니다.

결국 〈토끼전〉은 힘없는 백성이 권력자에게 승리하는 이야기라고 할 수 있습니다.

5-1 모범 답안

01 건강한 생활

1-1 건강한 음식

어휘와 표현 1

1. 1) 곡류
   유지, 당류
   우유, 유제품류
   과일류
   고기, 생선, 달걀, 콩류
   채소류

2. 1)

	연결
① 탄수화물	운동에 필요한 에너지를 제공하다 두뇌를 활성화하다
② 지방	체온을 유지하다 과잉 섭취 시 비만이 될 수 있다
③ 단백질	피와 근육을 만들다 면역력을 높이다
④ 비타민	피부를 건강하게 만들다 변비를 예방하거나 개선하다
⑤ 무기질(칼슘)	뼈와 이를 튼튼하게 만들다 골다공증을 예방하다

듣기 1

듣기

1. 식습관

2.

김미선 씨의 문제점	1년 동안 갑자기 10kg 정도 살이 쪘다.
김미선 씨의 특징	저녁에는 주로 배달 음식을 먹는다.
	늦은 시간에 식사를 하고 바로 잠자리에 든다.
야식의 문제점	멜라토닌 호르몬의 분비 감소 → 숙면을 취할 수 없음.
	지방이 몸에 저장됨. → 비만이 됨. → 당뇨, 고혈압, 심장병 등 성인병을 유발함.

3. ③, ④

읽기 1

읽기

1. 식단, 운동

2. ① 충분히 물 마시기
   ② 적정한 체중 유지하기
   ③ 다양한 종류의 음식을 골고루 먹기

3. 1) 물은 남성의 경우 최소 900mL 이상, 여성의 경우 600~800mL 이상을 섭취하는 것이 좋다.
   2) 채소와 과일을 가장 많이 먹는 것이 좋다.
   3) 기름기가 적은 고기나 생선으로 단백질을 섭취하는 것이 좋다.
   4) 생선과 견과류에 양질의 지방이 많이 들어 있다.

문법

문법 1 -기만 하다

2. 1) 싸우기만 했어요
   2) 먹기만 했어요
   3) 울기만 했어요
   4) 웃기만 했어요
   5) 지루하기만 하고
   6) 놀기만 하고
   7) 낯설기만 한

3. 1) 방학 내내 공부는 하나도 안 하고
   2) 아무 얘기도 안 하고
   3) 쳐다보기만 했다
   4) 걷기만 했다
   5) 지금은 늙고 약해지셨다
   6) 이제는 친구도 많아지고 익숙해졌다

문법 2 -(으)므로

2. 1) 신분이므로
   2) 사업이므로
   3) 크므로
   4) 예정이므로, 다가오고 있으므로

1-2 건강한 신체와 운동

어휘와 표현 2

1. 1) 근육　2) 머리뼈　3) 관절
   4) 어깨뼈　5) 척추뼈　6) 골반뼈
   7) 종아리뼈

2. 1) ① 저리　② 쥐가 났다　③ 삐끗했다
   ④ 쑤시　⑤ 뭉쳤다

3.

유산소 운동	근력 운동
수영하기, 가볍게 뛰기, 빠르게 걷기, 자전거 타기	런지, 플랭크, 스쿼트, 윗몸 일으키기

읽기 2

읽기

1. '시간이 없다'는 이유로 10대 청소년 운동 참여율, 전 연령대 중 최저 기록

2.

가 — 연령에 따른 생활 체육 참여율 현황
나 — 10대의 생활 체육 참여율이 낮은 이유
다 — 10대의 운동 참여율을 높이기 위한 정부의 계획

3. ③, ④

듣기 2

듣기 2-1

1. ①

2. 1) 기본적인 활동에도 어려움이 생긴다.
   2) 운동은 별로 하지 않고 스마트폰을 과도하게 사용하는 사람들이 많아지기 때문이다.
   3) 무리하지 않고 땀이 살짝 날 정도로 매일 걷는 것이 좋다. 신체 운동 기능을 높이는 훈련법도 도움이 된다.

듣기 2-2

1. 기능
2. ④
3.

	훈련 방법
①	눈 뜨고 한쪽 다리로 서 있기, 1분씩, 3회
②	양발을 어깨너비로 벌린 다음에 천천히 앉는 스쿼트, 5~15회, 3세트
③	똑바로 서서 발꿈치를 천천히 올렸다 내리기, 10~20회, 3세트
④	한쪽 다리를 앞으로 내딛고 천천히 앉는 런지, 10~20회, 3세트

문법

문법 3　-는/(으)ㄴ 데 반해

2. 1) 부인은 활발한 데 반해 남편은 내성적인 편입니다.
   2) 이 집은 거실이 큰 데 반해 방은 너무 좁습니다.
   3) 대학 졸업자 수는 늘고 있는 데 반해 일자리는 줄어들고 있습니다.
   4) 그 신입 사원은 성격은 좋은 데 반해 업무 능력은 좀 떨어집니다.

3. 1) 영어는 별로 잘하지 못한다
   2) 러시아는 겨울에 굉장히 추운 데 반해
   3) 일을 너무 많이 시킨다
   4) 인구가 증가하고 있다
   5) 증가하는 데 반해

문법 4　-다시피

2. 1) 아시다시피
   2) 공지했다시피
   3) 보셨다시피
   4) 나와 있다시피
   5) 잘 알려져 있다시피

02 생활 속 매체

2-1 생활과 광고

어휘와 표현 1

1. 1) 신매체 2) 영상 매체 3) 음성 매체 4) 인쇄 매체

듣기 1

듣기

1. ②
2.

남자의 생각	간접 광고는 브랜드의 **인지도**를 높여 준다.
	간접 광고는 드라마 **제작비**의 부담을 줄인다.
여자의 생각	간접 광고는 이야기의 **흐름**을 방해한다.
	간접 광고는 시청자에게 **거부감**을 준다.

3. ②, ④

읽기 1

읽기

1. 비판적으로
2.

	중심 내용
가	우리의 **일상**이 된 광고
나	광고의 **뜻/의미**
다	광고의 **긍정적** 기능
라	광고의 **부정적** 기능
마	현명한 소비자의 **태도**

3. 1) 대중교통을 이용할 때나 인터넷 또는 매체에서 광고를 접할 수 있다.
   2) 좋은 제품을 보다 저렴한 가격에 구매할 수 있다.
   3) 안전 운전이나 환경 보호 등을 주제로 다룬다.
   4) 막대한 광고비가 발생하고, 이 때문에 제품 가격이 상승할 수 있다.
   5) 잘못된 가치관이 형성될 수 있다.

문법

문법 1 -는/(으)ㄴ 듯이

2. 1) 그는 알지도 못하면서 잘 아는 듯이 말합니다.
   2) 어머니는 사진을 보면서 즐거운 듯이 웃으십니다.
   3) 오늘 아침 하늘을 보니까 곧 비가 올 듯이 흐립니다.
   4) 독감에 걸렸는데 증세가 너무 심해서 죽을 듯이 아픕니다.

3. 1) 물건이 날개 돋친 듯이 잘 팔려요.
   2) 그는 나를 잡아먹을 듯이 노려봤어요.
   3) 가슴이 찢어질 듯이 아파요.
   4) 교실이 쥐 죽은 듯이 조용해요.
   5) 건물이 하늘을 찌를 듯이 높아요.
   6) 아버지와 아들이 판에 박은 듯이 닮았어요.
   7) 이 약을 먹었더니 병이 씻은 듯이 나았어요.

문법 2 은/는 말할 것도 없고

2. 1) 그 가수는 가창력은 말할 것도 없고 작곡 능력도 뛰어나요.
   2) 최근에 나온 휴대폰은 성능은 말할 것도 없고 디자인도 좋아요.
   3) 불경기로 대기업은 말할 것도 없고 중소기업도 신입 채용을 줄였어요.
   4) 어제 경기는 선수들의 경기력이 떨어진 것은 말할 것도 없고 감독의 전략도 부족해서 실망스러운 경기였어요.

3. 1) 깊은 감동까지 줘요
   2) 한국어도 잘해요
   3) 외모도 훌륭해요
   4) 인명 피해도 발생해요

2-2 매체와 표현

어휘와 표현 2

1. 1)

① 선거에서 누가 승리할까?	정치
② 유럽 곳곳 폭염 기승, 뜨거운 지구	환경
③ 성북구 빌라 화재, 중학생 형제 다쳐	사회
④ 올 상반기 승용차 매출 49% 증가	경제
⑤ 김지훈, 한국 수영 새 역사……. 첫 결승 진출	스포츠
⑥ 김윤아 작가, "책 속에서 제 인생을 찾았어요."	문화

2) ① 실내복의 매출이 늘었다. ☑
② 전국의 아파트 값이 오르고 있다. ☑
③ 서울대공원에 가을이 다가왔다. ☑
④ 지하철이 고장 나서 출근하는 시민들이 어려움을 겪었다. ☑
⑤ 눈이 많이 오고 바람이 세게 불어서 전국의 기온이 뚝 떨어졌다. ☑

읽기 2

읽기

1. 요리 경연 대회
2.

가	본문: 사실이나 사건을 구체적으로 서술하는 부분
나	표제: 내용을 요약하여 알리는 큰 제목
다	전문: 사실이나 사건을 요약하는 부분
라	부제: 큰 제목을 보충하는 작은 제목

(가 – 표제, 나 – 부제, 다 – 전문, 라 – 본문)

3. ③

듣기 2

듣기

1. 신문 기사
2.

① 제목을 어떻게 써야 해요?	육하원칙의 내용에 따라 작성한다.
② 표제에 쓸 내용이 많으면 어떻게 해요?	부제를 활용한다.
③ 전문은 어떻게 써요?	핵심 내용을 짧고 간결하게 쓴다.

(① – 핵심 내용을 짧고 간결하게 쓴다, ② – 부제를 활용한다, ③ – 육하원칙의 내용에 따라 작성한다)

3. 1) 인터뷰한 사람의 말을 인용해서 신뢰감을 주고 싶을 때, 또는 강조하고 싶은 표현이 있을 때 따옴표를 사용한다.
2) 보통 두 줄 정도 쓰고, 문장을 확실하게 끝맺기보다 열린 문장으로 작성한다.
3) 전문이란 본문을 요약하는 부분을 말한다.
4) 육하원칙은 '누가, 언제, 어디에서, 무엇을, 어떻게, 왜'의 여섯 가지를 말한다.

문법

문법 3 -(으)ㅁ으로써

2. 1) 경찰이 범인을 잡음으로써 사건이 해결되었습니다.
2) 인솔자의 안내를 따르지 않음으로써 심각한 안전 문제가 발생했습니다.
3) 통신 기술이 발달함으로써 먼 곳에 있는 사람들과도 소통이 쉬워졌습니다.
4) 그 가수는 가죽으로 만든 옷을 입지 않음으로써 동물 보호를 실천하고 있습니다.

3. 1) 개인의 노력: 일회용품 사용을 줄이다
→ 일회용품 사용을 줄임으로써 환경을 보호할 수 있습니다.
국가의 노력: 자동차 10부제를 실시하다
→ 자동차 10부제를 실시함으로써 환경을 보호할 수 있습니다.
2) 개인의 노력: 자원봉사를 하다
→ 자원봉사를 함으로써 더불어 사는 사회를 만들 수 있습니다.
국가의 노력: 복지 제도를 마련하다
→ 복지 제도를 마련함으로써 더불어 사는 사회를 만들 수 있습니다.

문법 4 -게끔

2. 1) 구급차가 지나갈 수 있게끔 자동차들이 길을 비켜 주었습니다.
2) 감기가 빨리 낫게끔 따뜻한 차를 자주 마셨습니다.
3) 체온이 떨어지지 않게끔 옷을 더 입었습니다.
4) 모두가 들을 수 있게끔 큰 소리로 말했습니다.

3. 1) 쉽게 설명해 주셨어요
2) 옆으로 비켜 주었어요
3) 음식을 넉넉하게 준비했어요
4) 사회적 약자를 보호하게끔
5) 발표를 잘할 수 있게끔

활동

준비하기

2. ① 알록달록 ② 개최 ③ 준비
④ 빠른 ⑤ 라고 밝혔다

03 언어와 생활

3-1 소통하는 언어

어휘와 표현 1

1. 1) ① 귓속말 ② 빈말 ③ 막말 ④ 바른말
⑤ 혼잣말 ⑥ 군말

2. 1)

① 뻔한 거짓말	깊이 생각하지 않아도 거짓이라는 것이 금방 드러나는 거짓말
② 선의의 거짓말	좋은 의도를 가지고 하는 거짓말
③ 그럴듯한 거짓말	사실인 것 같은 거짓말
④ 새빨간 거짓말	절대 일어날 수 없는 말도 안 되는 거짓말

듣기 1

듣기

1. 거짓말
2. ②
3. ②, ③

읽기 1

준비하기

1. 거절을 잘 하지 못한다.
2. 거절을 잘 하는 방법
3. 〈거절해도 괜찮아〉

읽기 1-1

1.

친구의 부탁	나의 선택
돈을 빌려달라고 함.	부탁을 들어줬다 ☑/ 거절했다 □
빌린 돈을 한 달만 늦게 갚아도 되냐고 함.	부탁을 들어줬다 □ / 거절했다 ☑

2. 요리를 하다가 손을 다치는 바람에 아르바이트를 하지 못해서 생활비가 부족했기 때문이다.
3. ②

읽기 1-2

1. ②
2.

1) 시간 확보하기	지금 당장 대답하기는 어려울 것 같은데 생각해 보고 내일 다시 연락해도 될까?
2) 이해하는 감정 나타내기	갑자기 방을 구해야 해서 많이 놀랐겠다. 그런데 우리 집에서 지내는 건 힘들 것 같아.
3) 구체적으로 이유 설명하기	그때 고향에 계신 부모님께서 우리 집에 와 계시기로 했거든. 그래서 같이 지내는 건 어려울 것 같아.

3. 1) 회신을 할 날짜를 명확하게 알려 줘야 한다.
2) 새로운 일에 나를 떠올려 주어 감사하다는 표현을 한 다음에 거절하는 게 좋다.
3) 남의 탓을 하지 않는 것이 중요하다.
4) 어떻게 거절하느냐에 따라 인간관계는 달라질 수 있다.

문법

문법 1 -는 둥 마는 둥 하다

2. 1) 영화를 보는 둥 마는 둥 했어요
2) 공부를 하는 둥 마는 둥 해서
3) 일을 하는 둥 마는 둥 해서
4) 씹는 둥 마는 둥 하니까
5) 보는 둥 마는 둥 하니까

3. 1) 자는 둥 마는 둥 했다
2) 먹는 둥 마는 둥 하고
3) 듣는 둥 마는 둥 하고
4) 하는 둥 마는 둥 했다

문법 2 -기 나름이다

2. 1) 생각하기 나름이라고 봐
   2) 사용하기 나름이에요
   3) 꾸미기 나름이에요
   4) 공부하기 나름이지
   5) 노력하기 나름이라는

3-2 변화하는 언어

어휘와 표현 2

1. 1) ① 관용어 ② 신조어 ③ 외래어 ④ 의태어
   ⑤ 유의어 ⑥ 반의어

3.
1) 의미 확대 — 손 : '신체의 일부분'이라는 의미뿐만 아니라 '노동력'이라는 의미도 갖게 됨.
2) 의미 축소 — 미인: 예전에는 남자와 여자 모두에게 쓰였는데 지금은 여자에게만 쓰임.
3) 의미 변화 — 식구: '입'이라는 의미에서 '가족'이라는 의미로 바뀜.
4) 단어 차용 — 레알: 영어 'real'을 받아들여서 사용함.
5) 단어 축약 — 팩폭 : '팩트 폭격'을 줄여서 씀.

읽기 2

읽기

1.

대상	태도	이유
마키	찬성 □ / 반대 ☑	신조어 사용은 의사소통에 어려움을 줄 수 있다.
지훈	찬성 ☑ / 반대 □	신조어는 변화하는 언어 현상 중 하나이다.

2.

신조어	신조어의 뜻
학식	학생 식당
스카	스터디 카페
완내스	완전 내 스타일

3. ①, ③

듣기 2

듣기 2

1. ①, ③

2.

1) 신조어의 정의: 새로 만들어진 단어 중에서 아직 사전에 실리지 않은 말
2) 신조어의 특징
   ① 유행성 ② 확산성 ③ 소속감
3) 신조어 형성 방법
   ① 축약: 마상
   ② 합성: 발연기(발+연기), 워킹맘(working+mom)
   ③ 대치: 댕댕이

3. 1) 사전적 정의는 새로 생긴 말이며, 언어학적 정의는 새로 형성된 단어 중에서 아직 사전에 실리지 않은 말을 의미한다.
   2) 특정한 문화를 공유하는 집단이나 사회에서 사용되는 경우가 많기 때문이다.
   3) 한국인들이 가장 선호하는 신조어 형성 방식은 축약인데, '마음의 상처'를 줄여서 '마상'이라고 부르는 것이 그 예이다.
   4) 영어 단어와 한국어 단어를 합성해서 만든 신조어이다.

문법

문법 3 -는/(으)ㄴ 이상

2. 1) 공부는 안 하고 놀기만 하는 이상 좋은 성적을 받기는 어렵습니다.
   2) 내 눈으로 직접 보지 않는 이상 그 사실을 믿을 수 없습니다.
   3) 대회에 참가하기로 한 이상 우승을 위해 최선을 다하도록 하겠습니다.
   4) 가게 매출이 이렇게 적은 이상 가게 문을 닫을 수 밖에 없습니다.
   5) 부모님의 건강이 안 좋은 이상 함께 여행하는 건 어려울 것 같습니다.

3. 1) 출입할 수 없습니다. ☑
   2) 거절하기가 어려웠다. ☑
   3) 지키도록 노력하겠다. ☑

문법 4 -(으)ㄹ뿐더러

2. 1) 야식을 먹으면 살이 찔뿐더러 숙면에도 방해가 됩니다.
   2) 이번에 새로 나온 휴대폰은 기능이 다양해졌을뿐더러 디자인도 개선되었습니다.
   3) 그 드라마는 내용이 신선할뿐더러 배우들의 연기력도 뛰어나서 인기를 끌고 있습니다.
   4) 광고는 제품에 대한 정보를 제공해 줄뿐더러 브랜드 이미지를 알리는 기능도 합니다.
   5) 원룸의 위치가 지하철역 근처일뿐더러 편의 시설도 많아서 월세가 비싼 편이라고 합니다.
3. 1) 새로 나온 책들도 많이 가지고 있다
   2) 수영장도 무료로 이용할 수 있다
   3) 본인의 건강을 해칠뿐더러
   4) 한국어 자막이 있을뿐더러

활동

준비하기

2. 1) ①, ③

활동하기 1

<문장식 개요>

1. 신조어란 새로 형성된 단어들 중에서 아직 사전에 실리지 않은 단어를 말한다.
2. 신조어의 특징
   2.1. 새로운 사회 현상이나 문화가 **유행**할 때 생긴다.
   2.2. 다양한 소셜 미디어를 통해 **확산된다.**
   2.3. 집단의 **소속감**을 강화한다.
3. 신조어 형성 방법
   3.1. 긴 표현을 **축약해서** 간략하게 표현한다.
   3.2. 원래 있던 단어를 **합성해서** 새로운 단어를 만든다.
   3.3. 모양이 비슷한 숫자나 글자를 **대치해서** 단어를 만든다.

04 교육과 진로

4-1 한국의 교육 문제

어휘와 표현 1

2. 1) ① 공교육 ② 가정 교육 ③ 태교 ④ 직업 교육 ⑤ 온라인 교육 ⑥ 사교육 ⑦ 평생 교육

3. 1)

사교육의 장점	사교육의 단점
부족한 부분을 보충하다 맞춤 교육을 받다 선행 학습을 하다	사교육비가 부담되다 학업 스트레스가 크다 교육 격차가 발생하다

듣기 1

듣기

1. 청년들, 교육

2. 1)

응답자	결과	
한국	40% 이상 그렇다. 40% 이상 그렇지 않다.	☐ ☑
미국	대부분 그렇다. 대부분 그렇지 않다.	☑ ☐

2)

응답자	결과	
한국	60% 이상 명문 대학 진학 60% 이상 자기 가능성 탐색	☑ ☐
미국	대부분 명문 대학 진학 대부분 자기 가능성 탐색	☐ ☑

3. ②, ④

읽기 1

읽기

1. 해결 방법

2.

질문	대답
한국의 교육 현황	학교 교육이 입시 교육 위주로 진행되어 안타깝다.
입시 위주 교육의 결과	사교육을 해야 해서 부모는 경제적 부담을 느끼고 학생들은 학업 스트레스를 받고 있다.
사교육의 문제	가정 경제에 부담을 줄뿐더러 교육 격차가 심해진다.
문제 해결을 위한 노력	정부 차원에서 교육의 기회를 동등하게 제공해야 하며, 공교육의 질을 높이기 위해 노력해야 한다.

3. 1) 교육이 국가의 미래를 책임지기 때문이다.
   2) 사교육 참여율은 3% 가까이 늘었고, 사교비육 총액은 23조원에서 26조로 10% 정도 증가했다.
   3) 소득이 높을수록 사교육에 투자하는 비용이 커지므로, 입시 경쟁에서 앞서가기 때문이다.
   4) 교육 방송의 유료 프로그램을 무료로 전환했다.

문법

문법 1 -(으)ㄹ 법하다

2. 1) 그리울 법하다
   2) 나올 법한
   3) 포기할 법한데
   4) 모았을 법한데
   5) 그럴 법하다는

3. 1) 피곤할 법한데
   2) 올 법한데
   3) 쓰러질 법해요
   4) 좋아할 법해
   5) 났을 법한데

문법 2 -(으)ㄹ 따름이다

2. 1) 기쁠 따름입니다
   2) 고마울 따름입니다
   3) 실망스러울 따름입니다
   4) 운이 좋았을 따름입니다

3. 1) 부끄러울 따름이에요
   2) 감사할 따름이에요
   3) 연습할 따름이에요
   4) 전화했을 따름이에요
   5) 동료일 따름이에요

4-2 취업과 면접

어휘와 표현 2

2. 1)

① 채용 공고	질문하고 대답을 들으며 지원자를 평가하는 것
② 지원 자격	회사에서 사람을 뽑는다는 사실을 알리는 것
③ 서류 전형	시험을 봐서 지원자를 평가하는 것
④ 필기시험	지원할 수 있는 사람의 조건을 쓴 것
⑤ 면접 심사	제출한 서류로 지원자를 평가하는 것

(① – 회사에서 사람을 뽑는다는 사실을 알리는 것, ② – 지원할 수 있는 사람의 조건을 쓴 것, ③ – 제출한 서류로 지원자를 평가하는 것, ④ – 시험을 봐서 지원자를 평가하는 것, ⑤ – 질문하고 대답을 들으며 지원자를 평가하는 것)

2. 3) ① 입사 지원서 ② 성적 증명서
   ③ 개인 정보 이용 동의서 ④ 사본

읽기 2

읽기 2-1

1. 채용하
2. ①

읽기 2-2

1. ②
2. 1) 12월 17일, 3시부터 다문화관 305호에서 진행된다.
   2) 면접 응시자당 최대 40분 정도 걸릴 예정이다.
   3) 신분증과 서류 전형 합격 통지서를 꼭 가져고 와야 한다.
   4) 홈페이지에 공고하고 개별적으로 통보한다.

듣기 2

듣기

1. 취업

2.

재학생들의 고민	선배의 조언
취업 준비가 막막해요	진로를 **구체적**으로 정하는 것부터 시작해야 한다.
자격증이 꼭 필요한가요?	자격증은 **우대** 조건이지 **필수** 조건이 아니다.
	관련 분야의 다양한 **경력**을 쌓는 것이 좋다.
면접은 어떻게 준비해야 하나요?	면접관들의 질문을 **예상해** 보고 실제 면접처럼 연습하면 좋다.

3. 1) 다문화 가족과 관련된 일을 하고 있다.
   2) 진로를 정하지 못한 경우 학교 진로 상담 센터를 방문해 보라고 했다.
   3) 자격증보다 일에 대한 열정과 자신감 넘치는 태도가 중요하다.
   4) 자기소개, 지원 동기 그리고 입사 후 포부에 대해 질문한다.

문법

문법 3 에 한해

2. 1) 경우에 한해
   2) 관람객에 한해
   3) 고객에 한해
   4) 제품에 한해
   5) 신입생에 한해

3. 1) 신규 가입자에 한해 30% 할인 쿠폰을 제공한다
   2) 10만 원 이상 구매 고객에 한해 선물을 증정한다
   3) 선착순 100명에 한해 혜택을 제공한다
   4) 성북구 주민에 한해 음악회 관람이 가능하다
   5) 사전 신청자에 한해 좌석을 배정한다

문법 4 -고도 남다

2. 1) 거짓말을 하고도 남을
   2) 장난을 치고도 남아요
   3) 이해하고도 남아요
   4) 메달을 따고도 남을
   5) 팀장이 되고도 남는

3. 1) 먹고도 남아요
   2) 합격하고도 남아
   3) 가고도 남지
   4) 우승하고도 남으니까
   5) 끝내고도 남을

활동

2. 1) 자기소개, 지원 동기, 입사 후 포부
   2) ①, ③

05 사회 현상과 변화

5-1 한국 사회의 갈등

어휘와 표현 1

1. 1)

① 가: 결혼은 꼭 해야 하는 거야.
나: 요즘 누가 그렇게 생각해요? 할머니랑은 말이 안 통해.

② 가: 장모님이 내 물건을 마음대로 정리하니까 불편해.
나: 우리 엄마가 청소해 준 거잖아. 고맙게 생각해야지.
가: 우리 나라에서는 가족이라도 그렇게 안 한단 말이야.

③ 가: 남의 대문 앞에 주차하면 어떻게 합니까?
나: 주차할 공간이 없는데 그럼 어떻게 해요?

④ 가: 이번에도 옆 도시에만 공원을 짓는다고요?
나: 네. 그곳만 정부의 혜택을 받는 건 불공평해요.

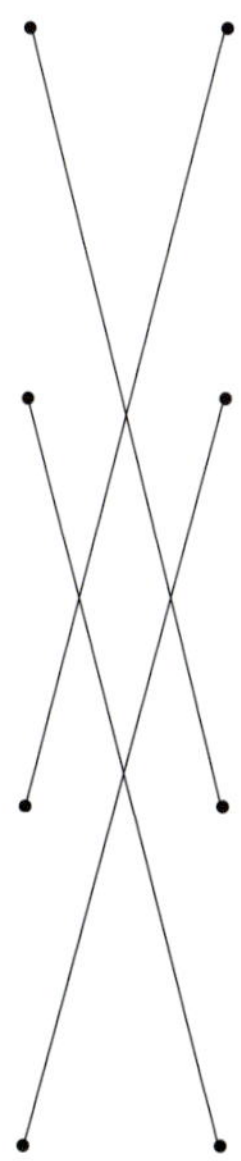

이웃 갈등

지역 갈등

세대 갈등

다문화 갈등

2. 1) ① 갈등을 빚다
   ② 갈등이 깊어지다
   ③ 갈등을 해결하다

듣기 1

듣기

1. ③
2. 가족, 가깝게
3. ②, ④

읽기 1

읽기 1-1

1. ①, ②
2.
   - 가 – 한국의 대표적인 주거 형태
   - 나 – 층간 소음의 발생 현황
   - 다 – 사회 문제가 된 층간 소음
   - 라 – 층간 소음을 해결하기 위한 자세
3. 1) 최소한의 공간을 최대한 활용할 수 있다.
   2) 층간 소음으로 인한 이웃 간의 갈등을 중재하는 일을 하는 곳이다.
   3) 말다툼이나 몸싸움을 벌이고 심하면 끔찍한 범죄가 생긴다.
   4) 층간 소음을 느끼는 정도는 개인마다 차이가 클 수 있기 때문이다.

읽기 1-2

1.

	편지를 쓴 사람	편지를 쓴 목적
첫 번째 편지	김민지	층간 소음에 대해 사과하려고
두 번째 편지	704호 할머니	민지에게 부탁하고 싶은 게 있어서

2. ①, ③

문법

문법 1 -는 통에

2. 1) 우는 통에
   2) 부리는 통에
   3) 치는 통에
   4) 재촉하는 통에
   5) 조르는 통에
3. 1) 밖에서 아이들이 시끄럽게 떠드는 통에
   2) 윗집 아이가 뛰어다니는 통에
   3) 친구가 소리를 지르는 통에
   4) 알아들을 수가 없다
   5) 퇴근하지 못하고 있다

문법 2 -다 못해

2. 1) 참다못해
   2) 말리다 못해
   3) 고민하다 못해
   4) 받다 못해
   5) 견디다 못해
3. 1) 방 정리하는 걸 보다 못한
   2) 학업 스트레스를 견디다 못한
   3) 밖으로 찾으러 나갔다
   4) 음식을 훔쳤다

5-2 가족 제도의 변화

어휘와 표현 2

1. 1) ① 가정 ② 핵가족 ③ 가구 ④ 대가족
2. 2) ① 정자, 기증 ② 유산 ③ 낙태권 ④ 출산율 ⑤ 임산부

읽기 2

준비하기

1. ① 무자녀 가구 ② 다문화 가구 ③ 비혼 출산 가구 ④ 재혼 가구 ⑤ (노인) 1인 가구 ⑥ 입양 가구

읽기

1. 가족 형태
2.
   - 가 – 무자녀 가구 – 아이를 낳아서 기르는 것보다 일을 통해 얻는 성취감이 더 중요하다.
   - 나 – 노인 1인 가구 – 독립한 자식들과 함께 사는 것보다 혼자 지내는 것이 편하다.
   - 다 – 입양 가구 – 직접 낳은 아이와 기른 아이 모두 소중하고 귀하다.
   - 라 – 비혼 출산 가구 – 결혼은 별로 하고 싶지 않았지만 아이는 꼭 낳고 싶었다.
3. ②, ③

듣기 2

준비하기

2. 1) 자발적　2) 시선　3) 인식　4) 양육

듣기 2-1

1. ①

2.

질문	답변
비혼 출산을 결심한 이유는 무엇입니까?	더 나이가 들면 임신이 어렵다는 말을 들어서
비혼 출산에 대한 걱정은 없었습니까?	• 본인에 대해: 걱정이 됐다 ☐ 걱정이 안 됐다 ☑ • 아이에 대해: 걱정이 됐다 ☑ 걱정이 안 됐다 ☐

3. ①

듣기 2-2

1. ①

2. 의견 1: 형태　의견 2: 권리
   의견 3: 행복하게　의견 4: 저출산

3. 1) 20대 여성은 다섯 명 중 네 명이, 남성은 절반 정도가 비혼 출산을 긍정적으로 보고 있다.
   2) 낙태권과 마찬가지로 출산권도 보장해야 한다고 주장한다.
   3) 아빠 없이 아이를 키우는 것이 아이에게 좋지 않은 영향을 준다.
   4) 다양한 가족의 형태를 인정해야 한다고 주장한다.

문법

문법 3 -는 한

2. 1) 내가 살아 있는 한 너를 죽을 때까지 사랑할 것이다.
   2) 과거의 일에 집착하는 한 더 이상의 발전은 없다.
   3) 내가 아는 한 그는 나쁜 짓을 할 사람이 아니다.
   4) 사랑하는 사람과 함께하는 한 어떤 일이든지 다 해낼 수 있다.
   5) 포기하지 않는 한 언젠가는 원하는 것을 이룰 수 있을 것이다.

3. 1) 생활하지 않는 한
   2) 기숙사에 사는 한
   3) 직접 현장에 나가지 않는 한
   4) 말로 직접 사과하지 않는 한

문법 4 -(으)ㄹ 리 없다

2. 1) 청소할 리 없어요
   2) 먹었을 리 없어요
   3) 일등일 리 없어요
   4) 좋아할 리 없어요
   5) 저질렀을 리 없어요.

3. 1) 실패할 리 없어요
   2) 시험을 잘 볼 리(가) 없어요
   3) 깨끗해질 리(가) 없어요
   4) 모를 리(가) 없어요
   5) 했을 리(가) 없어요

06 환경과 인간

6-1 환경 오염과 피해

어휘와 표현 1

1. 1) 대기 오염　2) 방사능 오염
   3) 토양 오염　4) 수질 오염

1)
- 수질 오염 — 생활 하수, 산업 폐수
- 토양 오염 — 농약, 화학 비료
- 대기 오염 — 매연, 배기가스, 온실가스, 메탄가스
- 방사능 오염 — 방사능 물질

3. 1) ① 사막화　② 도시화　③ 지구 온난화　④ 자동화

듣기 1

듣기

1. ②
2.

북극곰이 겪는 어려움	북극에 가지 못해서 먹이를 얻을 수 없다.
어려움을 겪는 이유	허드슨만이 어는 시기가 늦어지고, 지구 온난화로 인해 빙하가 줄고 있다.
	장시간 수영하기가 어렵다.

3. ①, ④

읽기 1

읽기 1-1

1. 푸른 바다로 둘러싸인 아름다운 섬
2. 고향 섬이 가라앉는 것

읽기 1-2

1. 국가, 개인
2.

가 • — • 가라앉는 섬의 현 상황
나 • — • 섬이 가라앉는 원인
다 • — • 환경 보호를 위한 국제 사회의 노력
라 • — • 환경 보호를 위한 개인의 노력

3. 1) 산업화 이후 화석 연료를 사용하면서 온실가스가 급격하게 증가하였다.
   2) 무분별한 도시 개발과 산림 파괴가 섬들이 가라앉는 현상을 가속화하고 있다.
   3) 기후 변화 협약, 파리 협정 등이 있다.
   4) 에너지 소비 줄이기, 재활용 생활화하기, 친환경 제품 사용하기, 환경 보호 단체에 참여하거나 기부하기 등의 노력을 해야 한다.

문법

문법 1 -(으)ㄴ 나머지

2. 1) 회의에 집중한 나머지 점심시간이 지난 줄도 몰랐어요.
   2) 너무 서두른 나머지 지갑을 놓고 왔어요.
   3) 남편은 지나치게 일에만 몰두한 나머지 자신의 건강을 돌보는 일을 잊었어요.
   4) 어머니는 아들의 사고 소식에 충격을 받은 나머지 정신을 잃고 쓰러졌어요.

3. 1) 음식이 짜서 먹을 수가 없다
   2) 늦게까지 잠을 자지 못했다.
   3) 아무 말도 할 수 없었다
   4) 너무 매운 음식을 많이 먹은 나머지
   5) 너무 화가 난 나머지

4. 1) 가수 K 씨가 교통사고를 내고 도주했다고 합니다. 너무 당황한 나머지 도망갔다가 한 시간 뒤에 돌아왔다고 합니다.
   2) 부모가 여섯 살 아이를 방치해서 아이가 일주일 동안 굶었다고 합니다. 너무 배가 고픈 나머지 근처 마트에서 빵을 훔쳤다고 합니다.
   3) 유명 가수가 깜짝 사인회를 열였다고 합니다. 팬들이 너무 놀란 나머지 비명을 지르고 쓰러졌다고 합니다.
   4) 수영 선수가 어깨를 다쳐 병원에 갔다고 합니다. 올림픽에서 첫 메달을 따서 너무 기쁜 나머지 아픈지도 몰랐다고 합니다.

문법 2 은/는 물론

2. 1) 맛은 물론 건강에도 좋아서요.
   2) 희생자의 가족은 물론 취재진도 달려왔어요.
   3) 토요일은 물론 일요일에도 일할 때가 많아요.
   4) 지역 주민들은 물론 많은 자원봉사자가 도우러 왔어요.

3. 1) 디자인은 물론
   2) 겉옷은 물론
   3) 출퇴근 시간은 물론
   4) 어린이는 물론

6-2 환경 보호와 실천

어휘와 표현 2

3. 1) ① 재활용 ② 재배치 ③ 재개발
④ 재건축 ⑤ 재구성

읽기 2

읽기

1. 소개
2.

1950년	6.25 전쟁의 **피난민**이 집을 짓고 마을을 이루었다.
2007년	원래 있던 집들을 없애고 **재개발**을 하게 될 상황이었다.
2009년	마을 미술 프로젝트를 진행하면서 **벽화 마을**로 재탄생했다.
현재	해마다 300만 명이 찾는 부산의 **관광지**로 자리 잡았다.

3. ③, ④

듣기 2

듣기

1. 생태 공원, 탈바꿈
2. 라 – 나 – 다 – 가
3. 1) 아름다운 꽃이 자라는 섬이라는 뜻이다.
2) 난지도에 대규모의 쓰레기를 매립해서 쓰레기 섬으로 불리게 되었다.
3) 악취와 해충 발생, 빈번한 화재 발생, 한강 오염 등의 문제가 생겼다.
4) 서울 시민들의 안식처이자 서울에서 가 볼 만한 곳으로 유명하다.
5) 자연이 훼손되면 그 영향은 인간에게 그대로 돌아오고, 그와 동시에 인간의 노력으로 생태를 복원하고 환경을 재생할 수 있다는 것도 깨달았다.

문법

문법 3 -(으)ㄹ 틈이 없다

2. 1) 신제품 생산을 위해 직원들이 밤낮으로 일하느라 쉴 틈이 없어요.
2) 이 영화는 긴장감이 넘쳐서 보는 동안 지루할 틈이 없어요.
3) 점심시간이 되자 배달 주문이 밀려서 화장실에 갈 틈이 없어요.
4) 그 친구가 혼자 계속 말해서 끼어들 틈이 없어요.

3. 1) 쉴 틈이 없다
2) 먹을 틈이 없다
3) 전화할 틈이 없다
4) 할 틈이 없다
5) 발 디딜 틈이 없다

문법 4 -(으)ㅁ에도 불구하고

2. 1) 환경 오염이 점점 심해짐에도 불구하고 사람들은 심각성을 깨닫지 못하고 있다
2) 그 사람은 집이 있음에도 불구하고 친구 집에서 지내고 있다
3) 그는 명문대 출신임에도 불구하고 취업을 하지 못하고 있다
4) 재료 값이 많이 올랐음에도 불구하고 식당은 음식 값을 그대로 유지했다
5) 그 선수는 부상이 회복되지 않았음에도 불구하고 경기에 출전했다

3. 1) 인기가 별로 없다
2) 야구 시합이 취소되지 않았다
3) 적자임에도 불구하고
4) 당황했음에도 불구하고

07 전통의 계승

7-1 궁중 음식의 변화

어휘와 표현 1

1. 1) ① 제례 음식 ② 궁중 음식 ③ 사찰 음식
④ 퓨전 음식 ⑤ 향토 음식

3. 1) 주안상 2) 다과상 3) 교자상 4) 반상

4. 2) ① 아삭아삭하다 ② 쫄깃쫄깃하다
③ 바삭바삭하다 ④ 퍽퍽하다

듣기 1

듣기

1. 수라상
2. ②
3. ②, ③

읽기 1

읽기

1. ②
2.

가	한국의 대표적인 간식인 떡볶이
나	문헌에 남아 있는 떡볶이
다	조선 시대의 떡볶이
라	고추장 양념 떡볶이
마	떡볶이의 다양화와 세계화

3. 1) 쫄깃쫄깃한 떡의 식감과 매콤달콤한 양념이 잘 어우러지기 때문이다.
   2) 1469년에 쓰인 의서와 1896년에 쓰인 조리서가 있다.
   3) 쌀로 만든 떡에 소고기, 전복, 해삼 등의 고급 식재료가 들어갔다.
   4) 고추장 양념 떡볶이는 1950년대 처음 등장했다.
   5) 한 끼 식사로도 부족함이 없는 음식이 되었다.

문법

문법 1 -(으)려던 참이다

2. 1) 끄려던 참이에요　　2) 마시려던 참인데
   3) 보려던 참이야　　4) 나가려던 참이니까

문법 2 을/를 불문하고

2. 1) 나이를 불문하고　　2) 이유를 불문하고
   3) 국적을 불문하고　　4) 시대를 불문하고
   5) 지역을 불문하고

3. 1) 세대를 불문하고　　2) 장르를 불문하고
   3) 남녀노소를 불문하고
   4) 사람들은 모두 교육을 받을 수 있어야 한다
   5) 사랑 이야기는 많은 사람들에게 사랑을 받았다

7-2 판소리의 계승

어휘와 표현 2

1.

1) 공유성	사회의 구성원들이 공통적으로 가지는 것 예) 한국에서는 수능을 보는 수험생에게 찹쌀떡이나 엿을 선물한다.
2) 학습성	사회에서 교육, 경험, 관찰을 통해 배우는 것 예) 한국 남자와 결혼한 외국인 여성이 김치를 담글 줄 알게 되었다.
3) 축적성	기존의 것에 새로운 것이 추가되어 쌓이는 것 예) 휴대 전화가 발전하면서 통화 기능 외에도 문자, 사진 촬영, 인터넷 등의 기능들이 추가되었다.
4) 변동성	시간이 지나면서 변화하고 발전하는 것 예) 예전에는 편지로 소식을 전했으나 요즘에는 이메일이나 SNS로 의사소통을 한다.
5) 전체성	전체적으로 하나를 이루는 것 예) 인터넷의 발달은 정보 통신 기술은 물론 교육 문화나 산업 등에 영향을 끼치고 있다.

2. 1) ① 외면당하　② 계승되　③ 변질되　④ 재창조되

3.

작품	작품 해설
흥부전	이 작품은 착한 동생 흥부와 욕심쟁이 형 놀부의 이야기를 통해서 착한 일을 하면 복을 받는다는 교훈을 담고 있다.
춘향전	이 작품은 기생의 딸인 춘향이 신분을 뛰어넘어 사랑을 이루는 이야기로, 조선 후기의 신분제로 인해 자유롭지 못했던 시대상을 반영하고 있다.
심청전	이 작품은 심청이 앞을 보지 못하는 아버지를 위해 목숨을 희생했다가 왕비가 된 후 아버지와 재회하는 이야기로, 인생의 희로애락을 표현하고 있다.
토끼전	이 작품은 우화 소설로, 동물을 주인공으로 하여 힘없는 백성과 권력자의 관계에 대해 이야기함으로써 현실을 풍자하고 있다.

읽기 2

읽기

1.

용어	의미
소리	소리꾼의 노래
아니리	소리꾼의 말
발림	소리꾼의 몸짓
추임새	고수와 구경꾼의 감탄사

2. 흥을 돋우

3. ①, ③

듣기 2

듣기 2-1

1. 줄거리, 의미

2.

주인공	어떤 거짓말을 했습니까?	왜 그 거짓말을 했습니까?
자라	용궁에 가면 부귀영화를 누릴 수 있다.	토끼를 용궁에 데려가려고
토끼	간을 육지에 두고 왔다.	살기 위해서

3. ①, ④

듣기 2-2

1.

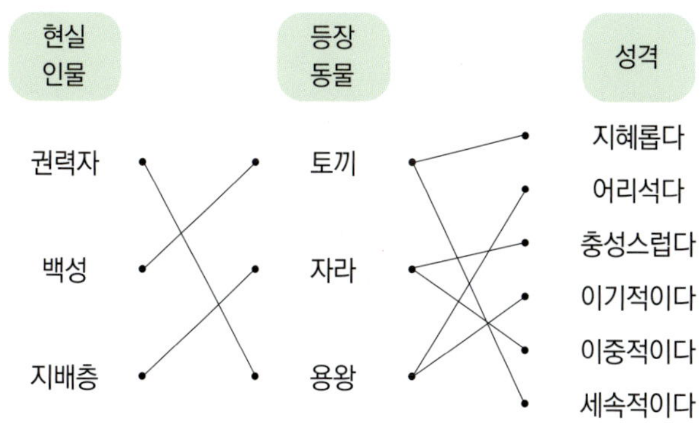

2. 1) 부귀영화를 누리고 싶은 세속적인 욕심 때문에 죽을 위기에 놓이게 된 것이다.
2) 병든 용왕을 위해서 육지로 갔다.
3) 동물을 의인화하여 현실을 풍자한다.
4) 힘없는 백성이 권력자에게 승리하는 이야기라고 할 수 있다.

문법

문법 3 -는/(으)ㄴ 동시에

2. 1) 동아리에 가입하면 취미를 즐기는 동시에 친구도 사귈 수 있어요.
2) 투표는 국민의 의무인 동시에 권리예요.
3) 어깨 마사지를 받자 아픈 동시에 시원함이 느껴졌어요.
4) 그는 영어를 가르치는 선생님인 동시에 한국어를 배우는 학생이에요.
5) 반려동물을 키우면 정서적으로 안정되는 동시에 외로움도 달랠 수 있어요.

3. 1) 출발 신호가 울리는 동시에
2) 가수가 등장하는 동시에
3) 아빠가 문을 여는 동시에
4) 인간의 일자리를 위협하고 있다
5) 감동적이었다

문법 4 -(으)ㄴ 끝에

2. 1) 모은 끝에
2) 걸은 끝에
3) 연구한 끝에
4) 기다린 끝에
5) 훈련한 끝에

3. 1) 가수 K의 말에 의하면 그녀는 10번의 도전 끝에 가수로 데뷔할 수 있었다고 합니다.
2) 사장의 말에 의하면 5시간이 넘는 토론 끝에 그 회사에 투자하기로 결정했다고 합니다.
3) 연구원의 말에 의하면 10년 동안의 많은 실험 끝에 비만 치료제를 개발했다고 합니다.
4) 제프리의 말에 의하면 오랜 고민 끝에 한국에 유학을 왔다고 합니다.

mp3 목록

단원	타이틀	영역	쪽
01	01-1	듣기 1	21
	01-2	듣기 2-1	32
	01-3	듣기 2-2	33
02	02-1	듣기 1	44
	02-2	듣기 2	55
03	03-1	듣기 1	66
	03-2	읽기 1	68
	03-3	듣기 2	79
04	04-1	듣기 1	90
	04-2	듣기 2	102
	04-3	활동	106
05	05-1	듣기 1	112
	05-2	듣기 2-1	124
	05-3	듣기 2-2	125
06	06-1	듣기 1	137
	06-2	듣기 2	148
07	07-1	듣기 1	158
	07-2	듣기 2-1	168
	07-3	듣기 2-2	169

순화어 목록

단원	외래어	순화어
01	칼로리	열량
	다큐멘터리	기록 영화
	세트	벌
	스트레칭	몸 풀기 동작
02	뉴스	소식
	브랜드	상표
	팀	조, 편
	인터넷	컴퓨터 통신망
	서비스	할인, 덤
	마케팅	판촉
	이미지	인상, 기억
	모델	본보기, 모형
	디자인	설계, 도안
	드라마	대중극
	메뉴	차림, 차림표, 식단
	치킨	닭고기 튀김
	인터뷰	회견, 면접
	센터	중앙 본부
03	웹툰	없음
	에세이	수필, 논문
	워킹맘	직장인 엄마, 일하는 엄마
	브랜드	상표
04	홈스쿨링	재택 교육
	프레젠테이션	시청각 설명
	AI 면접	인공 지능 면접
	블라인드 면접	정보 가림 면접
	홈페이지	누리집
	스토리	이야기
	Q&A	묻고 답하기
	쿠폰	우대권, 할인권

단원	외래어	순화어
05	캠페인	홍보, 운동
	핸드폰	휴대 전화
06	프로젝트	기획, 사업
	가스	기체
	에너지	힘
	시스템	체계
	마트	소매점
	갤러리	전시장
	콘서트	음악회
	에어컨	냉난방기
07	퓨전	융합, 혼합
	밀키트	바로 요리 세트
	마사지	안마
	오디션	선발 심사
	데뷔	첫 등장

참고 자료

단원	영역	자료
01	어휘와 표현 1	한국영양학회. 〈한국인 영양소 섭취 기준〉. https://www.kns.or.kr
	읽기 1	한국영양학회. 〈식품 구성 자전거〉. https://www.kns.or.kr
04	읽기 1	한국보건사회연구원. 〈보건복지포럼〉(2015.02). pp.21-22
05	준비	한국어기초사전. https://krdict.korean.go.kr
	듣기 2	사유리TV. 〈엄마, 사유리〉. https://www.youtube.com/watch?v=pAqnUAACzFw
06	활동	KBS 셀럽병사의 비밀. 〈타일러의 지구를 지키는 20가지 제안〉 https://www.youtube.com/watch?v=Gqh8ZVY8xk0&t=81s